afgeschreven

Boeken van Lieve Joris

Lieve Joris

De hoogvlaktes

Uitgeverij Augustus
Amsterdam . Antwerpen

De auteur ontving voor het schrijven van dit boek een
werkbeurs van Stichting Fonds voor de Letteren.

ISBN 978 90 457 01837
NUR 508

www.augustus.nl

Voor mijn moeder

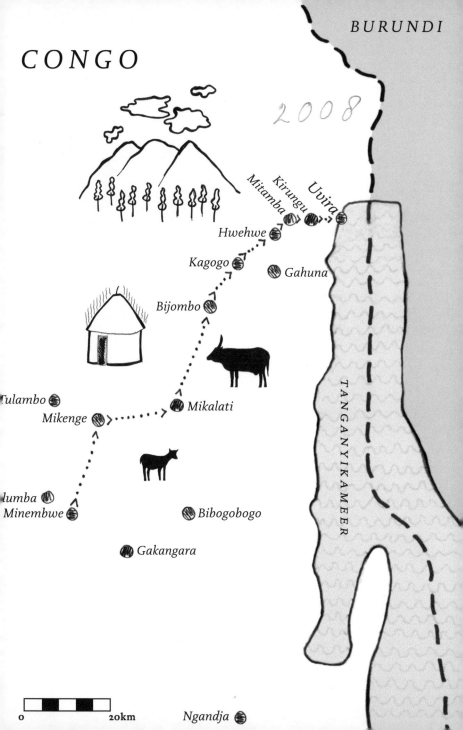

Op een ochtend zag ik André, de boy van de parochie in Minembwe, naar beneden vertrekken met onder zijn rechterarm een kip. Hij had de pijpen van zijn broek in rubberlaarzen gestoken en droeg een verfrommeld hemd met een T-shirt eronder, verder niets. Behalve die kip, die hij helemaal mee naar Uvira zou nemen om daar te verkopen.

Hij zou lopen door heuvels, dalen en moerassen, riviertjes oversteken en paadjes in het bos nemen – negentig kilometer in vogelvlucht. Al die tijd zou de kip hem vergezellen. Hij moest haar te eten geven en onderweg poepte ze vast op zijn kleren. En 's nachts, sliep ze dan naast hem, vastgebonden aan het touwtje dat hij om een van haar poten had geknoopt en waarvan het andere eind om zijn vinger zat? Dit alles leek André niet te deren. Hij was blij, hij lachte. Hij ging zijn vrouw bezoeken en *curé** Jorojoro, de pastoor van de parochie, had hem een kip voor haar meegegeven die in Uvira drie dollar waard was – een halve dollar meer dan hier.

Dat was de economie waarin ik terecht was gekomen en binnenkort zou ik diezelfde reis maken. Niet in vier dagen zoals André, nee, ik zou onderweg rondkijken, de markten in de hoogvlaktes bezoeken en tussendoor proberen te begrijpen hoe de mensen leefden in dit onherbergzame deel van Congo – een gebied zonder wegen en elektriciteit, met een bevolking zo wars van bureaucratie dat mijn Belgische voorouders er niet in geslaagd waren haar te onderwerpen.

* zie verklarende woordenlijst, p. 142

Hoezeer het beeld van André met zijn kip ook op mijn netvlies gebrand stond, mijn eigen bagage dijde steeds verder uit. Ik had een slaapzak, een lakenzak, thermisch ondergoed, een fleecejack, wandelschoenen, sportschoenen en proviand uit de stad in het dal meegebracht, maar volgens curé Jorojoro, die mijn spullen aan een nauwkeurige inspectie onderwierp, had ik ook rijst, suiker en thee nodig. Het menu bestond hier uit aardappelen en melk, de mensen bij wie ik overnachtte zouden blij zijn met iets extra's.

De kolonel die de scepter zwaaide in de hoogvlaktes woonde in een groot, omheind huis op een heuvel aan de rand van Minembwe. Hij had me een gids toegewezen, een sombere man met een snorretje en starre ogen. Bavire heette hij. Hij had zijn rechtenstudie in het dal afgebroken om bij de kolonel te zijn, die hem prompt had benoemd tot chef van zijn juridische dienst. Bavire zou me op mijn reis vergezellen, maar eerst zouden we een paar uitstapjes maken in de omgeving om te wennen aan het 'milieu', zoals iedereen het noemde. En aan elkaar, zoals curé Jorojoro eraan toevoegde.

Het was marktdag in Gakangara en Bavire en ik waren al vroeg op pad gegaan. Kaarsrecht liep hij naast me, zwierend met zijn stok. We hadden heel wat bekijks, want blanken kwamen zelden in deze contreien. Voortdurend werden we aangesproken en met vragen bestookt: Waar kwamen we vandaan, waar gingen we naartoe? Bavire hield het kort, want elk antwoord lokte een nieuwe vraag uit.

De commerçanten die met hun handelswaar op het hoofd van markt naar markt liepen, lachten en riepen naar me. Het waren Shi, kleine tanige mannen die uit het dal waren gekomen om 'hun leven te zoeken'. Ik keek naar hen en realiseerde me hoe ik na enkele dagen in Minembwe al gewend was geraakt aan de ingetogenheid van de Banyamulenge, waartoe Bavire, net als de kolonel, behoorde. De Banyamulenge zijn veehoeders, de meeste zijn in de tweede helft van de negentiende eeuw uit het naburige Rwanda gekomen. Met hun ranke gestaltes, hun archaïsche trots en hun majestueuze koeien zijn zij erin geslaagd alle volkeren waarmee ze in de hoogvlaktes leven, van Bembe, Fulero, Nyindu tot Shi, in de schaduw te stellen.

We staken een riviertje over waar mannen tot hun knieën in het water stonden. Aan de overkant groeven drie jongens met schoppen een kuil. Ze waren blootsvoets en gespierd, droegen gescheurde shorts en zaten onder het fijne rode stof van de aarde. Het stof had zich vermengd met zweet dat in onregelmatige geultjes naar beneden liep, zodat het leek of iemand hun huid had beschilderd met grillige patronen. Goudzoekers. Ze waren al een heel eind gevorderd, zeker drie meter, en zwaaiden ons vanuit de diepte toe. Ze groeven altijd in de buurt van water, vertelde Bavire, om het zand te kunnen zeven. Soms legden ze met hun gegraaf de loop van een rivier om.

Ook zij waren Shi. Ze betaalden belastingen aan de kolonel, waarmee die zijn politiek-militaire beweging hielp te onderhouden. Bij de rivier hadden ze stokken in de grond geslagen waarop ze een afdak van bladeren hadden gemaakt. Op het dak lagen, kriskras door elkaar, de kleren die ze die ochtend hadden uitgetrokken. Onder het afdak stonden hun schoenen en waren er sporen van een houtvuurtje. Het was een ontroerend stilleven, maar Bavire had er geen oog voor. Hij was verder gelopen en stond op enige afstand op me te wachten. 'Kom je?' Hij deed geen poging zijn ongeduld te verbergen.

'De goudzoekers wonen in een dorpje daarginder,' zei hij, in de verte wijzend. De hutten stonden er dicht op elkaar en 's avonds dronken de mannen er maïsbier en zelfgestookte sterkedrank.

Nu en dan passeerden we vrouwen met harde, gebleekte gezichten en vlechtjes die als antennes uit hun hoofd staken. Ook die woonden in het goudzoekersdorp, wist Bavire. Ze waren helemaal uit de hoofdstad gekomen om voor 'ambiance' te zorgen. Overdag deden ze boodschappen en gingen ze op zoek naar water en hout, 's avonds schuifelden ze door de donkere steegjes van het dorp op zoek naar een man.

Toen we na drie uur lopen in Gakangara arriveerden en kinderen joelend om ons samentroepten, gebruikte Bavire zijn stok om hen weg te jagen. Van veraf had het heel wat geleken, maar de koopwaar die de commerçanten op de houten tafeltjes uitgestald hadden, was armoedig: sigaretten, batterijen, lucifers, potloden, schriften, pennen en plastic naaisets – allemaal goedkoop spul, afkomstig uit China. Aan hangers bungelden de tweedehandscolberts, broeken, hemden, aftandse regenjassen en verweerde hoeden die de Banyamulenge zo'n ouderwets aanzien gaven, hoe jong ze ook waren. Als een meisje ondergoed wilde kopen, moest ze het stiekem aanwijzen, had Jorojoro me verteld. Terwijl zij een ommetje maakte, verpakte de commerçant het in ondoorzichtig papier, waarna zij het betaalde en meenam.

Op de terugweg bezochten we een muzikant die in een lieflijk groen dorpje woonde en volgens Bavire tot ver buiten de hoogvlaktes bekend was. De witgekalkte hutten hadden een okergeel biesje en waren omzoomd door moestuintjes, bananen- en papajabomen. Ook binnen waren de hutten wit en okergeel geschilderd. De muzikant haalde een langwerpig houten instrument tevoorschijn dat hij een harp noemde, met acht snaren die vroeger van koeienpezen waren gemaakt maar tegenwoordig van plastic. Hij en zijn vrienden wilden wel voor ons zingen, maar dan moest de deur van de hut dicht. Door een kleine raamopening viel wat licht naar binnen. Buiten speelden kinderen in het gras met een plastic fles. Ze hadden het er druk mee: onder heftig gekibbel vulden ze de fles met een bodempje zand en lieten haar dan langzaam leeglopen.

De harpist zette zijn instrument in een aluminium pan opdat het geluid goed zou weerkaatsen, liet het andere uiteinde rusten op zijn knie en begon te tokkelen. Klagende, polyfone stemmen vulden de ruimte. Ze zongen over de geschiedenis van de Banyamulenge, die zoveel helden had voortgebracht: chef Muhire leidde zijn volk naar de bergen boven Uvira waar wilde dieren leefden; chef Karojo vocht met stenen tegen de Bembe, die hem beschoten met geweren.

Bavire had die verhalen al duizend keer gehoord en gaapte tijdens het vertalen hartgrondig, maar de mannen werden steeds enthousiaster. Ze zongen over een koe die haar meester wakker maakte om gemolken te worden, over een drachtig rund dat goed nieuws baarde in de vorm van een vrouwelijk kalfje. De muziek voerde me naar de woestijn van Mauritanië, vijfduizend kilometer verderop, waar Moorse mannen stroperige thee slurpten terwijl ze luisterden naar droevige gezangen over een kameel die 's nachts was weggelopen en nooit was teruggekeerd. Monotone muziek had ik het aanvankelijk gevonden, tot ik eraan gewend raakte en er helemaal van in de ban kwam.

De harpist had een lied over *Imana*, God, aangeheven en nu kwamen de mannen pas echt op stoom. Een van hen timmerde verwoed op een trommeltje, de ander stond op en begon met gespreide armen te dansen. Hij was groot en de hut was niet erg hoog, zodat hij leek op een fladderende vogel in een te kleine kooi. De kinderen hadden hun spel gestaakt en verdrongen elkaar fluisterend voor de raamopening. Ik sloot mijn ogen en droomde weg.

Mijn Congolese reis was bijna twintig jaar eerder, in het uiterste westen van het land, begonnen. In de voetsporen van mijn heeroom was ik door Beneden-Congo getrokken. De jaren daarna was ik steeds verder oostwaarts gereisd, tot ik in het grensstadje Uvira belandde, meer dan vijftienhonderd kilometer verderop. Aan de ene kant het Tanganyikameer, aan de andere kant een solide muur van geheimzinnige blauwe bergen. Daarachter lagen de hoogvlaktes, waar een krijgslustig volk zou leven dat oorspronkelijk uit Rwanda kwam. Banyamulenge – niemand had ooit van hen gehoord en ineens waren ze op ieders lippen. Ze hadden president Kabila geholpen een einde te maken aan de dictatuur van Mobutu. Maar ze konden het niet eens worden met de nieuwe president en algauw was er een tweede opstand uitgebroken.

Inmiddels was Kabila vermoord en was het land onder zijn zoon Joseph weer één geworden, maar in het oosten bleef het onrustig. Na de onafhankelijkheid van 1960 was de regio jarenlang een broeinest van rebellieën geweest en nu had een kolonel hoog daar boven zijn eigen republiek gesticht. Het was moeilijk, zo niet onmogelijk er te komen, vertelde iedereen me. Maar ik was al begonnen te dromen: de hoogvlaktes zouden mijn laatste Congolese etappe worden, de laatste hindernis die ik moest nemen.

Via een hulporganisatie liet ik een brief aan de kolonel bezorgen waarin ik hem toestemming vroeg zijn gebied te bezoeken. Ik wilde de wonden van de geschiedenis, die in het oosten dieper leken dan elders, van dichtbij bestuderen, schreef ik. Zijn akkoord kwam mondeling. Niet veel later charterde ik een vliegtuigje en vloog naar de hoofdplaats Minembwe. De terugweg zou ik te voet afleggen.

Een kennis uit het dal had me gevraagd zijn vader te bezoeken. Bavire vergezelde me. Onderweg zag ik hem langzaam ontdooien. Al wees hij iedereen die me benaderde onverbiddelijk terecht, hij leek er schik in te krijgen met een wandelende attractie op pad te zijn. 'Kijk daar eens,' zei hij toen we koeien passeerden die stilstonden om naar ons te kijken, 'zelfs de dieren verbazen zich over je komst.' Hij zong de religieuze liedjes die we in de hut van de harpist hadden gehoord en legde me de betekenis uit van zijn naam, Bavire Ntungane. Bavire betekende 'hij die zich niet verzet', Ntungane 'de betrouwbare'. Hij was voorbestemd een brug te zijn tussen mensen, zei hij, daarom had de kolonel hem aan mij toegewezen.

De oude vader van mijn kennis woonde op een erf met een schutting van bamboestokken tegen rondzwervende runderen, want in tegenstelling tot elders in de wereld, waar koeien grazen binnen omheiningen, lopen de dieren in de hoogvlaktes vrij rond en zijn de huizen, schooltjes en moestuintjes afgerasterd.

De man ontving ons in een hut met grote raamopeningen die uitzagen op glooiende weiden. Vriendelijk keek hij me aan. 'Hoeveel kinderen heeft u?' wilde hij weten. De veiligheidsman van Minembwe had me op de dag van mijn aankomst hetzelfde gevraagd. Hem had ik een grote mond gegeven, maar dat kon ik tegen deze respectabele vader met zijn rafelige hoed natuurlijk niet doen.

Ik keek naar Bavire, die naar de koeien aan de andere kant van de omheining zat te turen. 'Ik heb geen kinderen,' zei ik toen maar. Dat was in deze wereld van drachtige koeien niet zo'n goede binnenkomer, realiseerde ik me, en dus voegde ik er een spreekwoord uit de hoogvlaktes aan toe dat iemand me had ingefluisterd: 'Wie geen kinderen heeft, kan tenminste woorden achterlaten.'

Dat spreekwoord zei de oude man niets. Ik hoorde mezelf uitleggen dat het leven als reiziger moeilijk te combineren viel met kinderen, dat... 'Niet één zelfs? Of twee?' Hij schudde verbaasd zijn hoofd. Het gestreepte colbert dat hij met koninklijke allure droeg was aangevreten door de motten en ook de kraag van zijn hemd had betere tijden gekend. *Een kinderloze vrouw sterft niet, zij verdwijnt*, luidde een ander spreekwoord – vermoedelijk was dat hem meer vertrouwd.

Zijn kinderen hadden ons in de gaten gekregen en klemden hun handjes nieuwsgierig om de bamboeomheining.

Mannen krijgen hier tot op hoge leeftijd kinderen. Als hun vrouw ziek is leggen ze haar lot in Gods hand in plaats van een koe te verkopen om haar naar het ziekenhuis te brengen. Na haar dood hertrouwen ze met een jongere. Een vrouw die sterft is als een kalebas die stuk is, zeggen ze, die moet je vervangen.

Al pratende werkte ik me steeds verder in de nesten. De man schudde me ten afscheid voorkomend de hand, maar mijn bezoek had hem duidelijk in de war gebracht.

'Ik heb een probleem, geloof ik,' zei ik op de terugweg tegen Bavire. Hij was me geen enkele keer te hulp geschoten en ook nu zei hij niets. Aarzelend voegde ik eraan toe: 'Wat zou ik eraan kunnen doen?'

Hij zwaaide met zijn stok door de lucht. 'Wat denk je?'

'Zal ik de volgende keer zeggen dat ik kinderen heb?'

Zijn gezicht klaarde op. 'Dat is een goed idee.'

'Twee kinderen, zou dat genoeg zijn?'

'Ik denk het wel, ja.' Hij klonk opgelucht.

'Een jongen en een meisje?'

'Dank je,' zei hij, blij dat ik begrepen had dat twee dochters het probleem niet zouden oplossen. Het afgelopen halfuur was hij bijzonder zwijgzaam geweest, maar nu begon hij te praten. 'Een kinderloze vrouw heeft hier geen recht van spreken,' zei hij. 'Mensen denken: Wat zou zij ons kunnen leren als ze niet eens nakomelingen heeft? Waarom zouden we haar iets toevertrouwen? Zij zal vast allemaal leugens vertellen. Haar woorden hebben geen waarde, ze zijn gedoemd te verdwijnen.'

In de stilte die volgde liet ik de vloek van mijn kinderloosheid op me inwerken. Toen begon Bavire opnieuw te praten. 'Ik heb ook een probleem,' bekende hij, 'ik ben al drieëndertig, maar ik heb nog steeds geen kinderen.' Als student had hij geen tijd gehad om op zoek te gaan naar een vrouw en sinds hij voor de kolonel werkte kwam hij daar helemaal niet meer aan toe.

'Misschien is het goed voor jou ook enkele kinderen te bedenken als we samen naar beneden gaan,' opperde ik.

Mijn voorstel beviel hem. Drie kinderen, dat leek hem een geschikt aantal. 'Ik geef jou er twee,' zei hij, 'en jij geeft mij er drie.'

We lachten en sloegen onze handpalmen tegen elkaar om ons verbond te bekrachtigen. '*Nous sommes ensemble*,' zei Bavire, een uitdrukking die mensen in deze regionen gebruiken als ze elkaar begrijpen.

'Drieëndertig jaar is wel laat om te trouwen,' zei ik terwijl we verder liepen. De jongens in de hoogvlaktes trouwen doorgaans veel eerder.

Bavire zuchtte. 'Het is moeilijk om een geschikte vrouw te vinden. Ik ben jaren weg geweest, het leven in het dal heeft me veranderd, terwijl ze hier intussen...' Wie een vrouw wilde huwen moest koeien aan haar vader geven. Veel jongeren konden niet voldoen aan de hoge eisen van hun schoonvader en besloten hun vrouw te schaken.

'Schaken? Hoe doen ze dat?'

'O, heel eenvoudig. Een jongen lokt een meisje met hulp van zijn vrienden naar buiten, zogenaamd om een ommetje te maken. Hij neemt haar mee naar zijn huis...' – Bavire zocht naar woorden – '... *où ils se cognent*,' zei hij uiteindelijk. Waar ze tegen elkaar opbotsen.

Ik lachte. 'Heet dat zo?'

'In dat geval wel, ja. De schoonvader heeft dan geen keuze meer. Zodra zijn dochter onder het dak van een vreemde man heeft geslapen, is ze niets meer waard.'

Vroeger werden schoonvaders ook regelmatig voor een voldongen feit gesteld, zei Bavire, alleen ging het er toen beschaafder aan toe. Als een jongen een meisje op het oog had dat aan een hogere bieder was beloofd, stuurde hij twee vrienden naar haar huis. Zij maakten een onschuldig praatje met haar vader en vergaten vervolgens zogenaamd hun wandelstok mee te nemen.

Bavire legde zijn stok schielijk neer en zette het op een drafje. 'Als de vader het ontdekte probeerde hij hen nog achterna te lopen,' zei hij toen ik hem had ingehaald, 'maar de jongens waren hem te vlug af, die waren allang achter de heuvel verdwenen.'

'En dan?'

'De volgende ochtend kwamen ze zogenaamd hun stok terughalen en brachten ze een koe mee. Daarna kon de man hun vriend niet meer afwijzen en werd het huwelijk beklonken.'

We naderden Minembwe en zetten er flink de pas in. Ineens sloeg Bavire zich voor de kop. 'Mijn stok, waar is mijn stok?' Hij draaide zich om en begon terug te lopen. In het vuur van zijn verhaal was hij die langs de kant van de weg vergeten.

De parochie van Minembwe was een eenvoudig L-vormig gebouw met witte muren, groene deuren en een golfplatendak, gemodelleerd naar missieposten uit de koloniale tijd. In mijn kamer overdacht ik mijn nieuwe familiegeschiedenis. Mijn jongere zus had een zoon en een dochter – aan hen zou ik denken als ik over mijn kinderen vertelde, dat was gemakkelijk. Ik moest hen alleen wat ouder maken, want de eerstvolgende vraag die mensen me zouden stellen was natuurlijk: 'En waarom heb je die bloedjes moederziel alleen thuisgelaten?' Omdat ze studeren, zou ik zeggen. Biologie en literatuurgeschiedenis – dat leek me een mooie combinatie.

Terwijl ik verder fantaseerde schaamde ik me ineens over het voorstel dat ik Bavire had gedaan. Wat moesten mijn Banyamulenge-kennissen in het dal niet denken als ze hoorden dat ik hun ouders belogen had? Zij logen de andere kant op, had ik gemerkt: ze verzwegen dat ze op hun zeventiende met een meisje van veertien waren getrouwd en op hun twintigste al drie kinderen hadden – soms kwam je daar pas na jaren achter.

Ik legde de kwestie voor aan curé Jorojoro. Die woonde al lang in Minembwe, maar kwam oorspronkelijk uit het dal. Hij luisterde aandachtig en zei: 'Bavire heeft gelijk. Twee kinderen zullen je reis aanmerkelijk verlichten.'

Marktdagen waren het enige verzetje in de hoogvlaktes. Het was heerlijk 's ochtends vroeg op weg te gaan in de sfeer van opwinding die dan tussen de heuvels hing. Zes uur lopen per dag, daar draaide niemand zijn hand voor om en ik algauw ook niet meer.

Het regenseizoen liep ten einde, maar volgens curé Jorojoro konden we nu en dan nog een fikse bui verwachten. Op de markt van Ilumba kocht ik een regenpak, een paraplu, een plastic zeil om mijn bagage te beschermen, plus een touw waarmee de dragers deze op hun rug konden binden.

Na afloop rustten Bavire en ik uit op een helling en tuurden we naar de rollende heuvels waarover kleurrijke stipjes zich bewogen in de richting van de markt. Om ons heen lagen mannen te praten, hun stokken en hoeden naast zich in het gras.

Plotseling hoorden we geschreeuw. Een statige man met een gleufhoed maaide met een stok naar een jongen die, in een poging de klappen te ontwijken, achteruit de helling af suisde. De jongen struikelde, beschermde zijn hoofd met zijn handen en smeekte om genade terwijl stokslagen op hem neerregenden. Als door een wonder slaagde hij erin overeind te komen en weg te schieten.

De man met de gleufhoed ging hem niet achterna, maar bleef tegen hem schreeuwen. Tot mijn verbazing draaide de jongen zich om en begon terug te lopen in zijn richting. Klein en gespierd was hij en hij praatte op een felle, verbeten toon. Toen de man dreigend zijn stok ophief week hij even achteruit, om vervolgens weer naar hem toe te lopen.

Het was een bizarre dans die ze uitvoerden – alsof ze met een elastiek aan elkaar vastzaten. Ze kenden elkaar, dat was duidelijk. Heftig gesticulerend stond de jongen nu tegenover de man, die hem bestraffend toesprak. Ineens draaide de man zich om en liep terug naar de markt, de jongen in zijn kielzog. Algauw waren ze in het gewoel verdwenen.

De mannen om ons heen moesten lachen. Ook Bavire had het tafereel geamuseerd gadegeslagen, leunend op één arm in het gras. 'Wat was dat?' 'O, niks bijzonders,' zei hij ontwijkend. 'Hoezo niks bijzonders, zag je hoe die man hem sloeg!' Alsof het zijn slaaf was, wilde ik eraan toevoegen, maar dat slikte ik nog net op tijd in.

Bavire keek steels om zich heen. 'Ik vertel het je straks wel,' zei hij. Hij was opgestaan en veegde het gras van zijn broek. 'Zullen we gaan?'

'En?' vroeg ik zodra we buiten gehoorsafstand waren.

'Het zijn lokale toestanden,' zuchtte Bavire, 'wil je het werkelijk weten?' Hij zweeg even, alsof hij met zichzelf overlegde hoe het verhaal te vertellen. 'De jongen,' zei hij ten slotte, 'heeft een tijd geleden een koe van de man gekocht.' Geld had hij niet – hij nam het dier mee naar het dal om het te slachten, waarna hij het vlees verkocht. Van de opbrengst zou hij de man betalen. 'Dat is vijf maanden geleden, maar hij liet niets meer van zich horen en de man heeft zijn geld nog steeds niet gezien. Vandaag liepen ze elkaar per ongeluk tegen het lijf. De jongen had een hoop excuses. Hij beweerde dat hij tegenslag had gehad, dat zijn klanten hem nog niet betaald hadden – in ieder geval had hij geen cent. Je begrijpt dat die man kwaad was.'

Maar om hem zo te slaan, dacht ik, waar iedereen bij was. En toch leek het de jongen niet echt te deren. Alsof hij zijn straf aanvaardde – alsof hij zijn plaats wist.

Zwijgend liepen we verder. Ik ritste mijn fleecejack dicht – het liep tegen vieren, de zon gaf nauwelijks nog warmte. De wind van het droge seizoen begon door de heuvels te zingen. Het was een koude, venijnige wind. Hij was vroeg dit jaar, had Jorojoro me gezegd – tegen de tijd dat ik beneden was, zou ik genoegzaam kennis met hem hebben gemaakt.

Er was iets in de scène op het gras dat me bekend voorkwam, maar wat? Ineens zag ik de dreef voor me die naar het kasteel leidde waar ik tussen mijn vijftiende en zeventiende als kindermeisje de zomers doorbracht. Een veertiende-eeuws kasteel, met een aanpalende hoeve en een vijver waar ik op zonnige middagen bootje voer met de kinderen. De kasteelheer was een oude man die zelden buiten kwam, maar een enkele keer reed hij 's zondags naar de mis in zijn grote auto, zijn excentrieke ongetrouwde dochter voorin, ik met zijn kleinkinderen achterin. De boeren onderweg stonden stil om hem te groeten, ze bogen en deden hun zondagse pet af, zodat wij door een haag van knippende onderdanen kerkwaarts gleden.

Erg stuurvast was de kasteelheer niet meer en als hij ter hoogte van de kerk probeerde te parkeren, wendden de dorpelingen discreet het hoofd af. Onder gefluister van de kerkgangers schreden wij door de middenbeuk voorwaarts, naar de plaatsen die sinds mensenheugenis voor de familie gereserveerd waren.

De tijd van meesters en horigen was al lang voorbij, maar de familie van de oude man had drie eeuwen in het kasteel gewoond en hij verpachtte nog steeds landerijen aan de boeren in de omtrek. Zodra hij ten tonele verscheen, kwamen de rituelen die in het collectieve dorpsgeheugen waren opgeslagen opnieuw tot leven en werd iedereen zich weer bewust van zijn plaats.

Bavire had een religieus liedje aangeheven. Ik stapte naast hem voort en verbaasde me over de helderheid waarmee de feodale dans op het gras de beelden uit mijn jeugd naar boven had gehaald.

Elke ochtend trok ik een T-shirt aan, wond een paan om mijn lendenen en liep op mijn slippers naar de hut achter het parochiegebouw om warm water te halen voor de douche. In de hut zat Thérèse, het dienstertje, te praten met de vrouwen die 's ochtends vroeg hout brachten. Ze dronken plastic bekers koffie of thee en warmden zich aan het houtvuur. De rook sloeg me in het gezicht en deed mijn ogen tranen, maar zij hadden er geen last van.

'*Umuzungu!* Blanke!' Thérèse pakte de zwartgeblakerde ketel van het vuur en goot het water in mijn emmer. Ik was hier nu al meer dan een week, maar zij weigerde mijn naam te leren. Overdag kreeg ze doorgaans hulp van andere meisjes. Ze deden mijn was en hingen hem aan de lijn te drogen. Mijn ondergoed verstopten ze achter de bomen, of ze legden er een kledingstuk overheen.

Curé Jorojoro had gedacht er goed aan te doen Banyamulenge-meisjes in dienst te nemen, maar soms betreurde hij zijn beslissing: het was een ongedisciplineerd stel dat verongelijkt reageerde als hij hen corrigeerde en dat allerlei taken weigerde te verrichten. Soms trof ik hem aan in zijn kamer, was hij op zijn werktafel altaarkleden aan het strijken met een ouderwets ijzer met kooltjes.

Overal elders in het Congolese binnenland worden blanken met respect behandeld – vaak op het gênante af – maar deze meisjes hadden niets onderdanigs. Wild en ongeremd waren ze. Ze praatten Kinyamulenge met me, al wisten ze dat ik dat niet verstond, en sisten afkeurend toen ik mijn eerste woordjes probeerde. Ze deden me denken aan Moren: ze waren allerminst onder de indruk van blanken, integendeel, ze hadden een hoop op hen aan te merken.

Mijn kamer zag uit op de tuin van de parochie, een grasveld waarop Jorojoro een sinaasappelboom had geplant. In de verte was de middelbare school van Minembwe. Tijdens de pauze speelden de leerlingen niet, maar lagen ze in het gras – net herdertjes. Waren ze moe van de lange wandeling die ze 's ochtends hadden gemaakt of waren ze gewend zo bij elkaar te liggen als ze koeien hoedden?

Veel licht was er niet in mijn kamer en als ik aan het schrijven was aan de ruwhouten tafel, liet ik mijn deur open. Op een ochtend stond er een jongen in de deuropening. Ik keek hem vragend aan en vroeg wat hij zocht, maar hij glimlachte alleen maar. Zijn blik viel op mijn Samsonite-koffer die opengeklapt op de grond lag; nieuwsgierig bestudeerde hij de inhoud.

Sigaretten, kleine flesjes whisky – er wachtte me onderweg naar beneden een keur van militaire versperringen en ik had een voorraadje ingeslagen om mijn doorgang te vergemakkelijken. Hoestbonbons, lolly's voor de kinderen – de spullen die hier boven op de markt te koop waren staken er zo grauw bij af dat mijn koffer vanzelf was veranderd in een winkel vol glimmende kostbaarheden.

De jongen bleef glimlachen. Zijn blik was open, bijna kinderlijk – geen spoor van de kille trots die veel Banyamulenge in hun ogen hebben. Even onverwacht als hij gekomen was, verdween hij weer.

'Dat was zeker Muragwa,' zei Jorojoro toen ik hem erover vertelde. Drie jaar eerder was die op de parochie aangespoeld en sindsdien kwam hij hier vaak. Hij volgde de bewegingen in en rond het gebouw en soms liet Jorojoro hem een klusje doen.

L'homme raisonnable, de verstandige man, noemde Jorojoro hem, al was Muragwa in feite een beetje simpel. Voortaan zette ik mijn modderige schoenen buiten als ik terugkwam van een tocht met Bavire en trof Muragwa dan verwoed boenend aan in het gras, de doos met schoensmeer tussen zijn opgetrokken benen. Ik betaalde hem met sigaretten, die hij breed glimlachend aannam. Zijn argeloosheid ontroerde me – de achterdochtige cultuur van de Banyamulenge had helemaal geen vat op hem gehad.

Bezoekers uit het dal belandden als vanzelf op de parochie. Agenten van een medisch bedrijf dat een nieuw medicijn voor koeien wilde introduceren, medewerkers van een hulporganisatie die putten sloegen en pompen aanlegden – ze sliepen allemaal in het bijgebouw. 's Avonds troffen we elkaar in de zitkamer bij het zwakke licht van een olielamp. Bavire was naar de woning van de kolonel vertrokken, Thérèse en haar weerspannige gevolg waren naar huis gegaan en zelfs onze engel, Muragwa, was verdwenen – we hadden het rijk alleen.

In de kamer ernaast praatte curé Jorojoro via de *fonie* – radioverbinding – met zijn collega's in Uvira. Fluitend, piepend en krakend kwamen de berichten binnen. Ik kon er geen woord van verstaan, maar Jorojoro des te meer en hij bracht na afloop enthousiast verslag uit: zijn boy André was aangekomen in Uvira en maakte het goed, zijn vrouw bedankte Jorojoro voor de kip die hij had meegegeven; een confrater had Jorojoro een brief geschreven die onderweg was naar Minembwe.

De medische agenten vonden het leven in de hoogvlaktes verschrikkelijk. Er was hier niets te eten, om van drank nog maar te zwijgen: een fles bier kostte drie dollar en de lokale sterkedrank van maïs en maniok vertrouwden ze niet. Vol heimwee dachten ze aan hun tv-scherm in Bukavu, dat avond aan avond beelden de woonkamer in wierp. Ze hadden een gloeiende hekel aan huishoudelijke taken, maar als hun vrouw bereid was in hun plaats hiernaartoe te komen, zouden ze thuis met liefde de vaat en de was doen.

Zelf had ik het comfort van de stad aanvankelijk gemist, maar inmiddels genoot ik van de onverwachte genoegens die me in deze sobere omgeving te beurt vielen: een tros banaantjes die curé Jorojoro op de kop wist te tikken, de verse melk die iemand langsbracht in een *ngongoro* – een houten fles met een gevlochten kapje. Ik ben mijn eigen dorp in een ver verleden ontvlucht, maar niets maakt me gelukkiger dan weg van huis de eenvoud van mijn jonge jaren terug te vinden.

De eerste weken van mijn reis door Beneden-Congo, negentien jaar eerder, had ik bij Vlaamse confraters van mijn heeroom gelogeerd. 's Avonds, als het personeel van de missie was vertrokken, zat ik met de oude paters in het maanlicht op de veranda terwijl de fonie op de achtergrond sputterde. Net als toen lag Congo aan de andere kant van de omheining. Ik hoefde er nog niet in mijn eentje tegenaan; ik kon de confrontatie nog even uitstellen.

Op vrijdag verschenen mannen met grote hoeden op de heuveltoppen van Minembwe en zetten de afdaling in met hun imposante koeien. Ze verzamelden zich op het terrein tussen de school en het plateau waar soms een vliegtuigje landde, een beetje apart van de iele houten constructies waarop handelaars hun goederen uitstalden. Op de parochie was het doodstil. Het vuur in de hut waar Thérèse en de meisjes doorgaans bijeenzaten, was uitgegaan. Heel Minembwe was op de markt.

Veel mensen uit het dal kwamen samen met de handelaars naar de hoogvlaktes. In je eentje reizen was onverstandig, want al pretendeerde de kolonel dat hij het gebied onder controle had, er struinden heel wat milities en gedeserteerde soldaten door de heuvels. Militairen van de kolonel vergezelden de handelaars van markt naar markt en zorgden voor hun veiligheid.

Thérèse kwam aan het eind van de middag verhit aangelopen. Een Shi-commerçant was met malaria in het gezondheidscentrum van Minembwe opgenomen en bezweken, had ze op de markt gehoord. De vrouw die hem vergezelde '*tombait cadavre*' – viel neer als een lijk – van schrik, maar stond even later gelukkig weer op.

Gezondheidscentrum – dat was een groot woord voor het gebouw met de lege medicijnrekken dat ik een keer had bezocht. Wat zou de man nodig hebben gehad om beter te worden – een strip malariatabletten? Daar kon niemand hem aan helpen. Een zieke vond in Minembwe alleen een ongemakkelijke brits om te sterven. De handelaar was al begraven, wist Thérèse. Dat was het risico als je je leven zocht in deze contreien – dat je nooit meer thuiskwam.

We zaten aan tafel toen Eraste binnenwandelde. 'Wat doe jij hier?' vroeg ik verbaasd. We kenden elkaar uit de stad, waar hij werkte voor een internationale hulporganisatie. Eraste lachte. 'Wat dacht je? Ik ben hier thuis!' Hij had de korte route genomen: met de bus naar Bibogobogo, een plaatsje in de middenplateaus, en van daaruit naar boven. Twee dagen was hij onderweg geweest. De eerste avond kwam hij een groep vrouwen tegen die hout hadden gehaald in het bos. Ze vroegen hem of hij niet bang was alleen rond te lopen. Had hij niet gehoord dat een *kanyonya* – bloedzuiger – in Bukavu een man vijfendertigduizend dollar had betaald om een motorrijder te vermoorden? Waarna hij het bloed van het slachtoffer had afgetapt en naar Amerika gestuurd. 'Vijfendertigduizend dollar,' zei Eraste, 'je vraagt je af hoe ze aan zo'n bedrag komen.'

Hij had het verhaal op weg naar boven in allerlei variaties gehoord en begreep inmiddels wat de tongen in beroering had gebracht. Sinds enige tijd was er een VN-vredesmissie in het dal neergestreken. Bezoekers uit de hoogvlaktes hadden het VN-personeel in grote auto's door de straten van Uvira en Bukavu zien rijden en de witgeschilderde poorten van hun compounds ontwaard. Zouden buitenlandse mannen en vrouwen hun familie verlaten om vrede te brengen in een vreemd land? Dat leek hun sterk. Ze hadden vast een geheime agenda.

'Ik moet nog een heel eind lopen,' had Eraste een vrouw bezorgd horen zeggen, 'als ik maar niet gegrepen word door een kanyonya.' 'Welnee,' hadden de andere vrouwen haar gerustgesteld, 'de Shi zuigen geen bloed, dat doen alleen blanken.'

Het waren verhalen die in afgelegen streken in Congo altijd weer opdoken. Ze dateerden wellicht uit de tijd van de slavenhandel, toen mensen verdwenen zonder een spoor achter te laten. De bewoners van Beneden-Congo beweerden vroeger dat mijn heeroom en zijn confraters 's nachts met een mijnlamp door het dorp liepen en iedereen die in hun lichtbundel kwam, in een varken veranderden. Hoe kon het anders dat de paters zulke dikke varkens hadden? Dat waren allemaal mensen geweest. Eraste lachte toen ik het hem vertelde. 'Zie je wel, jouw oom was ook een kanyonya.'

Net voor het donker strompelde een groep vrouwen binnen. Ze behoorden tot een hulporganisatie die een symposium voor weduwen in Minembwe organiseerde. Ze hadden dezelfde route als Eraste afgelegd, maar er veel langer over gedaan. 'De Banyamulenge zijn niet bij te houden,' zeiden ze, 'zij zijn een *agence express*.'

Ze waren nat geworden, hadden het koud gehad, hun laarzen waren stukgegaan en ze voelden zich vies. Een van de vrouwen kwam uit de hoogvlaktes. Ze had opmerkingen gekregen over haar kleding. Banyamulenge-vrouwen dragen panen met een bloes erboven en hebben allemaal dezelfde gele plastic schoentjes aan hun voeten – alsof iemand een grote berg van die dingen heeft uitgestort en iedere vrouw haar maat heeft gevonden. Waarom droeg zij er geen? 'Terwijl ik het zelfs met sokken en leren schoenen aan koud had!'

Gillend waren ze 's nachts wakker geworden uit nachtmerries waarin ze over glibberige paadjes naar beneden gleden. Eén vrouw weigerde op een ochtend verder te lopen. Ze hadden haar alleen in beweging kunnen krijgen door te dreigen dat ze anders in handen zou vallen van bandieten.

Het werd een genoeglijke avond. Jorojoro liep tevreden heen en weer – al dat volk in huis deed hem zichtbaar goed. 'Het is net of ik met vakantie ben,' zei hij. Een van de agenten haalde een aangebroken fles whisky tevoorschijn. Het was koud in het bijgebouw, klaagde hij, en bovendien zaten er muggen. 'Dit spul is even effectief als een geïmpregneerd muskietennet.'

Ik ging in mijn kamer op zoek naar een kaart van de hoogvlaktes en kwam terug met een koplamp op mijn hoofd, waarop Eraste mij een kanyonya noemde. De Munyamulenge-vrouw had me al een tijdje zitten observeren. Nu wees ze naar mijn lange broek: 'Ben jij van plan zo naar beneden te gaan? Waarom draag je geen paan?'

Het was een heldere nacht vol sterren. Op weg naar onze kamer stopten Jorojoro en ik op de galerij van het parochiegebouw om naar de hemel te kijken. Minembwe sliep, de huizen die spaarzaam in het landschap verspreid lagen waren in duisternis gehuld, de heuvels tekenden zich zwart af tegen de lucht.

Ik meende gezang te horen, eerst flauwtjes, maar gaandeweg steeds sterker. 'Wat is dat?' 'Een bidwake,' zei Jorojoro.

'Zo laat nog?' Hij lachte. 'Dat gaat soms de hele nacht door.' 'Is er iemand dood?' De Shi-handelaar die zijn zware tocht de heuvels in niet overleefd had – zouden ze voor hem…? 'Nee, nee, ze houden om de haverklap bidwaken, ook als er niemand dood is.' Het klonk sceptisch. Jorojoro kende de groep die de wake hield, het waren dezelfde katholieken die 's zondags naar de parochiekerk kwamen. 'Alleen zijn ze 's nachts wat ongeremder.'

Er circuleerden veel profetieën in de hoogvlaktes, die ingefluisterd werden door oude vrouwen. Zelfs de kolonel had zich door een profetes laten vertellen dat hem een grote toekomst wachtte. Mijn vrienden in het dal hadden me op het hart gedrukt een satelliettelefoon mee te nemen, zodat ik hen kon bellen mocht ik problemen krijgen. Een satelliettelefoon, had ik geprotesteerd, daardoor zou ik pas verdenkingen op me laden bij de militairen. 'Neem dan maar contact op met oude vrouwtjes onderweg,' hadden ze lachend gezegd, 'die communiceren met ons via telepathie.'

'Zullen we er even naartoe gaan?' vroeg ik, wijzend in de richting van het gezang. 'Nu nog?' Ik zag Jorojoro weifelen. 'Maar het is pas halftien!' Hij verdween in zijn kamer en kwam terug in een witte soutane. Dapper struinde hij naast me voort naar de kapel op de heuvel, waar heel wat meer lawaai vandaan kwam dan ik in de beschutting van de parochie had kunnen vermoeden.

Ik had met Jorojoro te doen. Geen van zijn collega's benijdde hem zijn post in de hoogvlaktes. Hij deed zo zijn best de Banyamulenge te begrijpen, maar als hij 's avonds in bed lag, gaven zij zich over aan rituelen waar hij geen greep op had. Ik vermoedde dat hij zijn witte soutane had aangetrokken om bij zijn entree wat meer indruk te maken.

In de kapel zaten mensen in het halfdonker op elkaar gepakt. Buiten was het koud geweest, maar binnen sloeg de warmte van zingende en bewegende lichamen ons tegemoet. Tientallen ogen volgden ons terwijl we naar een bankje voorin werden geleid. Stemmen fluisterden: '*Bwana asifiwe*', geloofd zij de Heer.

Het zingen was gestopt. Bijgelicht door een olielamp las een man aan een tafeltje voor uit het boek Genesis. Jorojoro vertaalde fluisterend. Het was de passage waarin Jakob de zegening stal van zijn broer Esau door zich tegenover zijn blinde vader Isaak voor te doen als diens oudste zoon.

Pas toen de voorlezer opstond en begon te oreren zag ik dat het de administrateur van Minembwe was – zonder zijn hoed had ik hem niet herkend. Op de dag van mijn aankomst had ik hem bezocht in zijn kantoor. Het was een donker hok, alleen op zijn bureau viel wat licht door een openstaand luik. Een bescheiden optrekje voor een man die zo zelfverzekerd door de heuvels liep in een pak dat hem twee maten te groot was, een bolhoedje op zijn hoofd, energiek zwaaiend met zijn stok.

Ik vond hem zijig, maar als militair scheen hij goede diensten te hebben bewezen en hij sprak zijn nachtelijke gehoor toe met een felheid die ik niet van hem had verwacht. Op een dirigent leek hij en telkens als hij even ophield met praten, stonden de gelovigen op en barstten uit in gezang, heen en weer wiegend op de maat van de muziek. Het waren dezelfde liedjes die de harpspeler in zijn hut had gezongen, maar in de duisternis die ons omringde klonken ze veel intenser.

Wat een energie, zo midden in de nacht! Op de eerste rijen zaten voornamelijk vrouwen en tot mijn verbazing wuifde iemand naar me. Het was een van de meisjes uit de keuken.

Haar gezicht, dat overdag zo gesloten was, straalde een koortsige gloed uit, zweet parelde op haar voorhoofd. Dus daarom waren die meiden zo traag, omdat ze de hele nacht zongen en dansten!

Jorojoro, de witte schim naast me, verroerde zich niet. 'Zullen we gaan?' vroeg hij na een tijdje.

'Dat was dus de disco van Minembwe,' zei ik plagerig toen we terugwandelden naar de parochie.

'Ja, ja,' zei hij, 'en straks, als de meisjes naar huis gaan, hebben ze geheime afspraakjes en verdwijnen ze met deze of gene in de bosjes.'

Ik rilde in mijn fleecejack. 'Dat meen je niet, in die kou?'

'Natuurlijk, het is hun enige kans. Alles gaat hier stiekem. De soldaten van de kolonel gedragen zich overdag onberispelijk, maar 's avonds drinken ze sterkedrank en dan...'

Tegen elkaar opbotsen, de uitdrukking die Bavire had gebruikt, schoot door mijn hoofd. De vluchtigheid en liefdeloosheid lagen in de woorden besloten. De vrouwen uit Uvira hadden ons eerder die avond verteld over de Bijbelse tijden waarin veel Banyamulenge-vrouwen in de hoogvlaktes leven. Een weduwe is vogelvrij: zij wordt verondersteld kinderen te blijven maken voor de familie van haar man; iedere passant kan 's nachts even bij haar langsgaan. Een meisje dat vóór haar achttiende niet aan de man is wordt *kijinge* – oude vrijster – genoemd. Vaak blijft ze thuis wonen en maakt kinderen met voorbijgangers om de familie van haar vader te vergroten.

'Waarom denk je dat Thérèse zo dwars is,' zei Jorojoro, 'zij is al in de twintig en nog steeds niet getrouwd, zij is ook een *kijinge*.'

'En de andere meisjes in de keuken?'

'Die gaan dezelfde kant op, vrees ik.'

Ik dacht aan Bavire, die tijdens een van onze wandelingen een keukenmeisje was tegengekomen en haar iets had toegeroepen. Ik was doorgelopen, maar toen ik me omdraaide zag ik nog net dat hij haar tersluiks een kushandje toewierp.

Bavire verscheen die ochtend vroeger dan gewoonlijk. Hij had enkele dagen respijt gevraagd om ons vertrek naar Uvira voor te bereiden – zou het zover zijn? Ik had een beetje opgezien tegen de tocht met de besnorde gids die de kolonel me had toegewezen. Hij maakte deel uit van een splinterbeweging die de kolonel als haar heiland beschouwde – hoe met zo'n gelovige rond te reizen? Maar inmiddels had ik me met mijn lot verzoend. 'De beweging en de man in de beweging zijn twee verschillende zaken,' had een kenner van deze regio me eens gezegd. 'Je moet altijd proberen de man achter de beweging te ontmoeten.'

Bavire was in de deuropening van mijn kamer blijven staan. 'Kan ik je even spreken?' Bij de ingang van het parochieterrein bespeurde ik een jongen die erg zijn best deed niet onze kant op te kijken. Was die met Bavire meegekomen? Verplaatste hij zich tegenwoordig ook met een bodyguard, zoals iedereen die hier een functie van enig belang had?

'Ik ben gisteren benoemd tot hoofd van de rechtbank,' begon Bavire. Ik feliciteerde hem, al keek hij eerder bedrukt. 'Wat is er, ben je niet blij?' 'Jawel, maar ik heb een probleem. Twee jongens hebben een meisje van negentien verkracht.' Ze waren geslagen, zei hij, waarna ze bekend hadden. 'De zaak komt binnenkort voor. Ik moet erbij zijn. Het kan even duren, ik...'

'Dat geeft toch niet? Ik wacht wel.' Het beviel me best in Minembwe. Over enkele dagen zou het symposium voor weduwen beginnen, daar zou ik me eens goed in verdiepen.

'Je begrijpt het niet,' zei Bavire, 'ik kan niet meer mee. Mijn nieuwe functie...'

Ik voelde mijn hart zinken. Zie je wel, de kolonel wilde helemaal niet dat ik de tocht naar Uvira te voet aflegde, hij had maar gedaan alsof.

De bodyguard bij de ingang had een spiegeltje uit zijn zak gehaald waarin hij zichzelf bewonderde. Een groen plastic ding, spiegel aan de ene kant, haarborstel aan de andere – ze verkochten ze op de markt. Toen Bavire hem wenkte, moffelde hij het gauw weg.

'De kolonel heeft David aangewezen om je te vergezellen.' Ik keek in een jong, ongevormd gezicht met een beginnend snorretje. Dat vilthoedje op zijn hoofd – hij zag er behoorlijk koket uit. Ik kon mijn teleurstelling nauwelijks verbergen. Moest ik met dit jongetje op reis? Het was voor mijn veiligheid, had de kolonel gezegd. Zou hij me beschermen als ik werd aangevallen?

'David is pas vierentwintig,' zei Bavire, alsof hij mijn gedachten had geraden, 'maar in de hoogvlaktes is een man op die leeftijd al lang volwassen.' Hij was hoofd financiële zaken van de beweging van de kolonel, ze kenden elkaar van de universiteit in het dal, waar David verpleegkunde had gestudeerd. 'Bovendien is hij een neef van de kolonel – beschouw het maar als een eer dat die hem aan jou heeft toegewezen.'

David zei niets, hij keek alleen maar naar me met een vrijmoedige blik. Hij was zeven maanden eerder getrouwd en zijn vrouw was zwanger, zei Bavire. 'Zodra hij zijn reis met haar heeft besproken, kunnen jullie vertrekken.'

Curé Jorojoro, die David bij de ingang van de parochie had zien rondhangen, begreep niet waar ik me zorgen over maakte. 'Die jongen, daar zit geen kwaad bij,' zei hij, 'het enige waar hij toe in staat is, is jou naar Uvira te begeleiden. Dat betekent dat de kolonel je inmiddels vertrouwt.'

Alles ging nu heel vlug. Dragers kwamen langs om mijn bagage te bekijken, David kwam onze vertrekdatum vastleggen. Terwijl ik inpakte kreeg ik heimwee naar de gerieflijkheid en de rituelen die hier in enkele weken waren ontstaan: het gekibbel met de meisjes van de keuken, de glimlach van Muragwa, de gesprekken met de empathische Jorojoro. De komende weken zou ik overgeleverd zijn aan mezelf – niemand zou mijn blik kunnen scherpen.

Voor de laatste keer stond ik met curé Jorojoro op de galerij te kijken naar de nachtelijke hemel. Om ons heen was het stil. Geen bidwake, geen krekels, alleen, nu ik iets beter luisterde, het ademhalen van een koe die aan de andere kant van de omheining lag te slapen.

'Het is een ideaal moment om te vertrekken,' zei Jorojoro. 'Zie je de maan? Ze is net op, ze zal met jullie meereizen. Tegen de tijd dat je in Uvira bent, is ze vol.' Ik zou hem missen – hoeveel liever had ik de afdaling met hem gemaakt. 'Ik zal je volgen,' zei hij, 'misschien stuur ik je wel een brief.'

Ik lachte ongelovig. 'Hoezo, een brief!'

'Wacht maar af. Denk je dat ik niet zal weten waar je bent? De mensen die naar boven komen, zullen het me vertellen. Een blanke die naar Uvira loopt, dat is *du jamais vu*, daar zal iedereen het over hebben.'

In mijn bed lag ik nog een hele tijd te woelen. Ik had uitgezien naar deze reis, maar nu het zover was, was ik ongerust. Veel Banyamulenge-kennissen in de stad hadden gerild bij de gedachte de afdaling nog eens te moeten maken. 'Waarom toch?' had ik Jorojoro gevraagd. 'Wat is er zo erg aan?' In een goedmoedige poging me gerust te stellen had hij twee gevaarlijke punten op mijn traject aangewezen. 'Als je die achter de rug hebt,' zei hij, 'is de pijn geleden.' Ik was er alleen maar banger van geworden.

Die nacht droomde ik dat ik op het perron van een Oost-Europees station op een trein stond te wachten. Het was avond, de lucht rook naar kolendamp en gele stationslampen verspreidden een diffuus licht, als op een filmset. In de natte mist liepen reizigers in winterjassen met koffers af en aan. Een langgerekte stoomfluit in de verte en daar schoof de trein het station binnen. Zodra de deuren opengingen, begonnen de mensen op het perron door elkaar heen te praten, wolkjes warme adem uitstotend in de vochtige lucht: de trein was bomvol, een solide muur van op elkaar gepakte reizigers gaapte ons aan. Tussen de benen van twee passagiers door zag ik een opening. Ik vermande me, bukte me en wurmde me naar binnen. Pas toen de trein zich in beweging zette, realiseerde ik me dat ik mijn koffer op het perron had achtergelaten.

Uren later dan afgesproken kwam David het parochieterrein op gelopen. 'Ik kon niet weg, ik had thuis bezoek,' zei hij. 'Bezoek – terwijl we op reis gaan!' Normaal konden we in één dag makkelijk naar Mikenge lopen; nu moesten we ons haasten om daar te zijn voor het donker.

Algauw lieten we de savanne achter ons en liepen we over een steil bergpad door het bos, dat naar mos en verrotting rook. Achter me snoven de dragers zwaar door hun neusgaten. Het waren Bangobango uit Mbulula, dieper het binnenland in. Ik was er een keer geweest. Een troosteloze plek, door de oorlog zowat van de kaart geveegd en door de halve bevolking verlaten. Mbulula – het hoorde bij zo'n andere reis, zo'n andere wereld, dat ik aanvankelijk niet begreep hoe de jongens hier verzeild waren geraakt. Tot ik de kaart in mijn hoofd opriep en besefte dat het hooguit tweehonderd kilometer verderop lag.

Drie broers, van dezelfde vader maar van verschillende moeders. Ook zij waren hun leven in de hoogvlaktes komen zoeken, samen met een oom, die dit klusje voor hen had geregeld. Anderhalve dag zouden ze bij ons blijven, daarna liepen ze terug naar Minembwe. Eenentwintig dollar zouden ze verdienen, zeven per persoon – waar wellicht nog een commissie af moest voor hun oom.

De sterkste van de drie had mijn Samsonite-koffer in een laken geknoopt dat met een lus aan zijn voorhoofd hing. Het was een onzinnig idee met een harde koffer door de bergen te reizen, maar niemand had me ervan af kunnen brengen. De koffer gaf me een veilig gevoel. Alles raakte onderweg aangetast door stof en vocht, maar hij was als een huisje dat ik kon afsluiten: als ik het openmaakte, trof ik mijn spullen intact aan. De koffer had me vergezeld op mijn allereerste reis door dit land; het rode stof van Beneden-Congo zat nog in de naden.

Soms, als David even zijn pas inhield, hoorde ik hoe zijn rubberlaarzen zich vastzogen aan de zompige aarde, maar de rest van de tijd zweefde hij voor me uit over het bergpad. Ik plantte de ijzeren punt van mijn stok in de grond, greep de tak van een boom vast en zwoegde omhoog. Zweet kriebelde in mijn haren en dreef in geultjes langs mijn voorhoofd, zout prikte in mijn ogen.

David was blijven staan om naar me te kijken. 'Wat een steile berg,' pufte ik.

'Dit is geen berg, maar een heuvel,' corrigeerde hij me droogjes.

Toen we uit de benauwde tunnel in het bos kwamen, ploften we neer in het gras om uit te rusten. 'Je bent leniger dan ik had verwacht,' zei David. Ik keek naar hem vanuit mijn ooghoeken. Maakte hij een grapje? 'Voor de oude mannen van de hoogvlaktes is Minembwe-Mikenge geen echte reis,' zei hij, 'maar voor een blanke... Jullie verplaatsen je toch alleen maar in auto's en vliegtuigen?'

Zelf was hij de dag ervoor helemaal naar de markt in Ilumba gegaan om een reistas te kopen. Op de markt was hij zijn eerste verloofde tegengekomen. Terwijl hij in het dal studeerde, was ze met een ander getrouwd. In het begin was hij verdrietig geweest. 'Maar nu niet meer, want mijn huidige vrouw is veel mooier.' Hij keek me dromerig aan. 'Net zo mooi als u.'

O, o – en met dit jochie moest ik naar Uvira! Curé Jorojoro had gelijk: er zat geen kwaad bij.

Met z'n vijven liepen we Mikenge tegemoet. David stapte een eindje voor ons uit en plotseling fluisterde een drager achter me: '*Madame, madame.*' Ik draaide me om. 'Wat is er?' Haastig, bang dat David het zou horen, zei hij: 'U moet me meenemen naar Amerika.' Ik keek voor me uit en fluisterde op mijn beurt: 'Wat wou je daar wel gaan doen?' 'Naar school!' 'En wie moet dat betalen?' 'Ik zal zeggen dat ik een weeskind ben, ik...'

David was gestopt om op ons te wachten, wat de drager abrupt tot zwijgen bracht. Ik wist achteraf niet meer wie van de drie gesproken had en geen van hen kwam op de vraag terug – alsof het voldoende was geweest die hartenkreet in de avondlijke lucht gelost te hebben.

De zonsondergang wierp een roestbruine gloed over de begroeide heuvels. Nu we Mikenge naderden, doken her en der weer hutten op. We hoorden geroep en kindergehuil. Mensen groetten me verheugd, wensten me een goede reis, feliciteerden me. Een oude man stond stil en zong een liedje, zo blij was hij me te zien. Bembe, Fulero, Banyamulenge – elk volk woonde hier apart. Achter me begonnen de dragers zich te roeren: ze waren moe, waarom sloegen we niet het pad in naar het dichtstbijzijnde dorpje? Maar David wees in de verte. Ik vermoedde dat hij bij Banyamulenge wilde slapen.

Ineens waren de dragers in geen velden of wegen meer te bekennen. David leunde op zijn paraplu en wachtte, maar er gebeurde niets. 'De Bangobango zijn lui,' zei hij. 'Ze zijn gewoon moe,' protesteerde ik, 'wij hebben het makkelijk, wij hoeven niets te dragen.' Hij haalde zijn schouders op. 'Zelf zou ik nooit zoveel kunnen dragen als zij, maar het is toch hun werk? Zij hebben het gekozen.'

Hij begon terug te lopen. Ik stond een beetje verloren in het gras en ging zitten. De duisternis viel snel en ik hield mijn ogen gefixeerd op het struikgewas dat David had verzwolgen.

Daar was hij, zwaaiend met zijn paraplu, de dragers in zijn kielzog. Het beeld van de kasteelheer kwam weer in mijn herinnering. De dragers hadden blijkbaar flink tegengestribbeld, want in het voorbijgaan morde David: 'De Bangobango zijn driftkoppen.'

De nacht was minder helder dan in Minembwe en het was of het Banyamulenge-dorp op slot zat. Niemand wilde ons hebben, iedereen die David aansprak wees naar de volgende hut. Een ontvangst zo kil als deze was me in het Congolese binnenland nog nooit te beurt gevallen. Mijn vrienden in het dal hadden me gewaarschuwd: gastvrijheid zou ik in de hoogvlaktes niet tegenkomen. 'Het is te laat,' zei David bezorgd, 'mensen vertrouwen het niet.'

In de hut waar we uiteindelijk belandden, was het koud. Uitgeput zakten we neer op de vloer. De gastvrouw wilde wel *foufou* van maïsbloem voor ons maken, maar eerst moesten we betalen. Foufou, rode bonen, melk – we aten in stilte, David en ik uit één pan, de dragers uit een andere.

David en ik zouden slapen in het kamertje ernaast, in twee bedjes aan weerszijden van een smalle gang. Tenminste, dat dacht ik, tot de heer des huizes binnenkwam en bleek dat ook hij en zijn vrouw in de kamer sliepen. Ik keek David aan: 'Wat nu?' Hij staarde naar het vuile matrasje. 'Je weet dat ik christelijk ben,' zei hij, 'er zal niets gebeuren.' 'Maar dat bed is nauwelijks groot genoeg voor één persoon!'

Toen ik eenmaal in mijn slaapzak was gekropen, voelde ik me schuldig. In het andere bed lag David lepeltje-lepeltje met het echtpaar. De dragers hadden zich te ruste gelegd op de grond in de zitkamer, onder het laken dat overdag om mijn koffer had gezeten. 'Zullen jullie het niet koud hebben?' had ik gevraagd. 'Maar madame,' antwoordden ze, verbaasd dat iemand zich om hen bekommerde, 'wij zijn dragers!'

Ik zat rechtop in mijn slaapzak en draaide de spijker van het luik een kwartslag. Licht en zuurstof stroomden de kamer binnen. Het was iets over zessen. Onze gastheer en zijn vrouw waren al opgestaan en David lag met zijn handen onder zijn hoofd te knipperen naar het licht.

Ik rilde en kroop terug in mijn slaapzak. 'Sorry voor vannacht,' zei ik, 'als ik geweten had dat jullie met z'n drieën...' 'Geeft niet.' David dacht even na. 'De mensen in Mikenge zijn bizar,' zei hij, 'ik zou nooit toestaan dat een vreemde man met mijn vrouw in één bed slaapt.'

Aan het voeteneinde van mijn bed stond een aandoenlijke reeks oude ngongoro's. De houten melkflessen waren groot, klein, met kapje, zonder kapje – net een museumverzameling. Sommige hadden barsten die met krammetjes waren gedicht. David volgde mijn blik. 'Als een ngongoro kapot is, wordt hij gerepareerd en krijgen de kinderen hem,' zei hij.

Ik hoorde de dragers in de andere kamer praten en ook het dorp om ons heen ontwaakte. Hanengekraai, gelach. Kinderen keken onbeschaamd door de raamopening naar binnen. Ik lag nog steeds in bed en maakte een afwerend gebaar, maar ze bleven staan, pratend, giechelend. Tot David opsprong en het luik met een klap dichtgooide.

Terwijl we ons aankleedden, begon het buiten te regenen. 'Vanochtend eten we in een restaurant,' zei David met een raadselachtige glimlach. Hoog op de heuvel lag een lange rieten barak, een gaarkeuken voor marktgangers die, net als wij, op weg waren naar Mikalati. In het mistige dal ontwaarde ik een gestage stroom commerçanten met pakken op het hoofd – net termieten.

Het restaurant was stampvol. Mannen met modderige rubberlaarzen en naar petroleum stinkende regenjacks liepen in en uit. Ik vocht me een weg naar binnen, de beroete spinnenwebben ontwijkend die als slingers aan het lage plafond hingen. Ik had me nauwelijks gewassen en voelde me vies. Tegelijkertijd was ik één en al opwinding: ik had de draad met de parochie in Minembwe doorgeknipt, mijn reis was begonnen. Wat een beweging, zo vroeg in de ochtend, wie had dat kunnen vermoeden!

We vonden een vrije tafel met twee bankjes en kropen dicht tegen elkaar aan, solidair ineens na die nacht in het ongastvrije dorp. De drager die op zoek ging naar eten werd door David 's4' gedoopt, naar de verantwoordelijke bevoorrading en logistiek in het leger. Als volleerde bouwvakkers stouwden we de rijst, zoete aardappelen en bonen die hij ons voorzette, naar binnen en dronken de plastic bekers thee met melk leeg.

David verdween soms om te praten met een militair, al dan niet in uniform, en ik zag loerende blikken mijn kant uit gaan. De situatie was veilig, zei hij – we konden vertrekken.

Vrouwen met manden op de rug en kasserollen op het hoofd, kinderen met een enkele kip of geit, handelaars met balen tweedehandskleren en zakken maïsbloem, Banyamulenge die een koe voor zich uit dreven – een zichzelf voortstuwende massa was het, een stoet van kakelende en lachende mensen die mij, even gelijke tred met mij houdend, ongevraagd hun levensverhaal vertelden, om zich dan weer voor me uit te spoeden en aan de einder te verdwijnen.

De een sprak perfect Frans, hij had zijn kandidaats geologie gehaald maar kon geen werk vinden in het dal en trok van markt naar markt met een jerrycan stookolie en een trechter op zijn hoofd. In één week liep hij in een lus van Uvira naar

Minembwe en weer terug. Bij zijn aankomst in Uvira was hij zo uitgeput dat hij bijna een week moest rusten, waarna hij inkopen deed en opnieuw vertrok. Eén reis bracht vijftig dollar op, min tien dollar voor logies en eten – aan het einde van de maand had hij tachtig dollar verdiend. Het was zwaar, sommige handelaars bezweken onderweg, maar hij bad tot God en trok verder.

De ander verkocht tweedehandsbroeken en was al door zijn voorraad heen. Nu moest hij alleen nog terug naar huis. Hij reisde met de anderen mee – dat was het veiligst. Twintig dollar had hij verdiend, maar soms verkocht hij nauwelijks genoeg om eten te kunnen kopen en de militairen bij de versperringen te kunnen betalen.

Een derde woonde in een goudzoekersdorp in de buurt en was op weg naar de markt om bloem en bakolie te kopen. Twee maanden eerder was hij uit Bukavu gekomen en al die tijd was hij doende geweest het terrein af te graven – hij had alleen nog maar geld uitgegeven en vroeg zich af wanneer hij eens iets zou gaan verdienen. Had ik geen werk voor hem? Hij had een middelbareschooldiploma, hij…

De openheid die me tijdens mijn allereerste reis door Congo zo had aangegrepen – ik trof haar in haar meest onvervalste vorm weer aan. In de stad werd ik de laatste tijd ongeduldig van het politieke gekonkel, de haat, maar hier voelde ik het onstuimige hart van Congo weer kloppen. De Congolezen zochten contact, om in leven te blijven, om toch vooral geen kans te missen.

Het was opgehouden met regenen, lage wolken dreven door de blauwe lucht. Sommige commerçanten zaten langs de weg, masseerden hun pijnlijke voeten, veegden het zweet van hun voorhoofd. David liep voor me uit, zijn handen losjes rond de paraplu in zijn nek, het hoedje op zijn hoofd, zijn regenjack open.

'Madame, wilt u mij niet *karikaturiseren*?' riep een handelaar, wijzend naar mijn fototoestel. Ik stopte, vroeg aan David of hij mee op de foto wilde. 'Nee, nee,' zei hij, 'straks denken ze nog dat ik ook een commerçant ben.'

'Jij beweerde gisteren dat je christelijk was,' zei ik enigszins gebeten, 'een beetje deemoed zou je niet misstaan.'

'En jij zei dat je niet christelijk was,' kaatste hij terug, 'maar je weet blijkbaar wel wat de Bijbel zegt over deemoed.'

Soms vlamde mijn ergernis over zijn arrogantie op, maar de toewijding waarmee hij zich van zijn opdracht kweet begon me voor hem in te nemen. De kordaatheid waarmee hij de dragers de avond tevoren had teruggehaald, de zorgzaamheid waarmee hij op zoek was gegaan naar een slaapplaats, de wijze waarop hij zich vanochtend onderhield met de militairen – Bavire had gelijk, David was geen jochie meer.

We passeerden een militair die zich met swingende pas voortbewoog, een cassetterecorder om zijn nek. Muziek uit de hoofdstad Kinshasa – die had ik al enige tijd niet meer gehoord. Thérèse en haar gevolg luisterden in Minembwe naar Mister Nice, een zanger uit het oosten die stichtelijke popliedjes zong, begeleid door een synthesizer – zoveel braver dan de opzwepende muziek uit Kinshasa.

De militair droeg een camouflagebroek met een rood T-shirt en zag er anders uit dan de militairen van de kolonel; het was vast een Mayi Mayi. Deze legendarische volksmilities die in het hele oosten van Congo actief waren, verzetten zich vooral tegen militaire infiltraties uit de buurlanden Rwanda en Burundi, maar beschouwden ook sommige Congolese militairen als vijanden. Ze hadden een pact gesloten

met de kolonel, maar geruchten deden de ronde dat ze onte-
vreden waren en hier en daar alweer voor zichzelf waren begonnen.

Later kwamen we de Mayi Mayi opnieuw tegen bij een
meertje. Te midden van tientallen commerçanten die het
vuil van de reis van zich afwasten, stond hij zijn rubberlaarzen schoon te maken, kalasjnikov om zijn schouder, recorder bungelend aan zijn nek – in zichzelf gekeerd, zonder enige aandacht voor de wereld om zich heen.

Na drieënhalf uur lopen zagen we Mikalati liggen. Op de
heuvelflank stonden honderden glanzende koeien met ge-
welfde hoorns; daartussen liepen Banyamulenge met hoeden en lange stokken heen en weer, keurend, prijzend. Uit
het dal steeg een zacht gegons op, dat sterker werd naarmate
we, laverend tussen de koeien, dichterbij kwamen. In de ge-
kleurde vlek in de diepte begonnen zich strooien afdaken af
te tekenen; het krioelde er van pratende, lachende, gebaren-
de mensen.

Tussen de veemarkt en de rest van de markt lag een strook
niemandsland. Zodra we die open ruimte betraden, kregen
mensen ons in de gaten. Ze stootten elkaar aan en algauw
draaide de menigte zich als één man onze kant op en veran-
derde het gegons in een langgerekte uitroep van verbazing
en vreugde.

We doken de massa in en probeerden in het gewoel te verdwijnen, maar mensen achtervolgden ons en bestormden
David met vragen. Hoe waren wij hier in godsnaam beland?
In Minembwe was een landingsstrip, daar kon je een blanke
tegenkomen, maar in Mikalati? Dat we gelopen hadden,
konden ze nauwelijks geloven. Ik lachte en knikte en pro-

beerde, weggedoken in mijn jack, rond te kijken, naar de slagers die enorme lappen vlees in de openlucht aan stukken sneden, naar de goudkopers met hun minuscule weegschaaltjes, maar om me heen was het een gedrang van jewelste en telkens als ik opkeek, staarden tientallen ogen me aan. De verkopers maakten wilde gebaren naar de nieuwsgierigen: ze blokkeerden de doorgang, ze hielden de klanten weg.

Ik trok aan Davids mouw. 'Kom,' zei ik. Het was tijd om op zoek te gaan naar Madigidigi.

Ik was vergeten hoe zijn naam in mijn notitieblokje terecht was gekomen, maar iemand had me gezegd dat ik, als ik Mikalati aandeed, bij Madigidigi kon logeren, die leraar was op de lagere school. We kwamen zomaar bij hem aanzetten die zaterdagmiddag, moe, vies als geitjes, een beetje op onze hoede ook na de slechte ontvangst in Mikenge de avond tevoren. Maar Madigidigi was één en al blije verrassing. Hij keek naar me alsof een prijsdier zijn erf was op gewandeld en klopte David dankbaar op de schouders omdat hij mij had meegebracht.

Madigidigi was groot, en zwaarder dan de Banyamulenge die ik tot dan toe had ontmoet. Hij sleepte met zijn linkerbeen. Als kind had hij polio gehad, zou hij me later vertellen, waardoor hij minder beweeglijk was dan anderen. Had zijn handicap hem, net als Muragwa in Minembwe, anders gemaakt? Was dat de reden waarom hij niet achterdochtig was? De Banyamulenge duldden geen handicaps, wist ik.

Tot voor kort draaiden ze albino's bij hun geboorte de nek om: ze zouden ongeluk brengen.

Drie hutten en een schuur – dat was Madigidigi's wereld. De dragers zetten onze bagage in de hoek van een van de hutten, stopten de dollarbiljetten in hun zak en verdwenen. Ik plofte neer op een stoel en keek naar de muren, die beschilderd waren met vrolijke witte, bruine en olijfgroene patronen.

Madigidigi's vrouw maakte water warm en zette de emmer voor me neer in de schuur. Een afvoerputje was er niet en dus waste ik me, jonglerend op mijn slippers in de aangestampte aarde, die steeds glibberiger werd. Mijn schone kleren lagen op één steen, mijn handdoek op de andere.

In de hut ernaast kaatsten de hoge, opgewonden stem van Madigidigi en de sonore bariton van David heen en weer, afgewisseld door gedempte vrouwenstemmen op het erf daarachter. Gekakel van kippen, het gehuil van een baby – ik voelde me weer thuis.

Na het eten kwam Madigidigi's broer op bezoek, die eerder in Bijombo had gewoond, onze volgende bestemming. Het was de langste tocht van ons traject en de broers vroegen zich bezorgd af of ik dat wel zou redden. Gelukkig was het morgen zondag, zodat we konden uitrusten.

Bij het licht van een olielamp zaten we die avond bij elkaar. De broers vertelden me dat hun vader zakenman in Uvira was geweest. Tijdens de oorlog was hij met een deel van de familie naar Amerika verhuisd. Amerika! Hoe ver was dat niet verwijderd van dit dorpje waar post en telefoon niet bestonden, waar je drie dagen moest reizen voor je op een asfaltweg stuitte.

De oude man ontving ons in een hut met grote raamopeningen die uitzagen op glooiende weiden. 'Hoeveel kinderen heeft u?' wilde hij weten.

▶ De administrateur van Minembwe
Curé Jorojoro
Muragwa

◀ Goudzoekers
Afdak van bladeren bij de rivier
Goudkoper op de markt

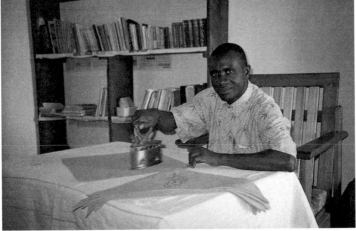

De kinderen hadden hun spel gestaakt en verdrongen elkaar fluisterend voor de raamopening.

▲ Buiten speelden kinderen in het gras met een plastic fles.
▼ De harpist (derde van links) met twee muzikanten en zijn vrouw en kind

Handelaars op weg naar de markt van Mikalati

▲ 'Madame, wilt u mij niet *karikaturiseren*?' riep een handelaar,
wijzend naar mijn fototoestel.

▼ Marktgangers wassen het vuil van de reis van zich af bij een meertje.

Oude man in Bijombo

Ze hadden geen idee in welk deel van de Verenigde Staten hun vader terecht was gekomen. In het woord Amerika lag zoveel magie besloten dat details overbodig waren. Kon ik hun geen beurs bezorgen, vroegen ze, zodat ook zij konden vertrekken?

Langzamerhand vielen mijn ogen dicht. Was het pas vanochtend dat de kinderen van Mikenge me door de raamopening beloerd hadden terwijl ik in bed lag? De eetbarak met de spinnenwebben op de heuvel, de heldere stemmen van de commerçanten, de kreet van verbazing die door de menigte trok bij onze aankomst in Mikalati – het was alsof we al dagen onderweg waren.

'Waar slapen we?' Bij het binnenkomen had ik een gangetje opgemerkt dat vermoedelijk naar een ruimte met een bed leidde. Zelfs in de indeling van hun huizen waren de Banyamulenge discreet.

Madigidigi was opgestaan. 'Er is maar één slaapkamer,' zei hij, 'hopelijk is dat geen probleem.' Ik wilde protesteren, maar dacht aan de ongemakkelijke nacht die ik David in Mikenge had bezorgd en slikte mijn bezwaren in. 'Jullie reizen samen,' zei Madigidigi, 'dan is het ook goed samen te slapen.'

De gang was zo smal dat ik er zijdelings door moest schuiven. Zodra ik in het kamertje stond, kreeg ik ademnood. Een jaar of twee eerder was het begonnen, in een tent voor de kust van Mozambique: plotseling had de gesloten ruimte me benauwd. Ik speurde met mijn koplamp de muur af en wrikte aan het luikje. 'Ik vrees dat dit open moet, anders stik ik,' zei ik tegen David.

'Ben je claustrofoob?' Het klonk even ongewoon als 'Amerika' eerder die avond had geklonken.

Ik lachte. 'Waar heb je dat woord geleerd?'

David trok de deken op de matras recht. 'O, tijdens mijn verpleegopleiding. Sommige mensen zijn agorafoob, andere hebben precies het tegenovergestelde.'

Door de raamopening scheen maanlicht naar binnen, in het gras rond de hut sjirpten krekels – het was ineens heel wat minder beklemmend in de kamer.

'Wij zijn de enigen in de hoogvlaktes die met een open raam slapen,' zei David toen we in bed lagen – hij onder een vieze deken tegen de muur, ik in mijn slaapzaak aan de buitenkant.

'Waarom eigenlijk? Wat kan er gebeuren?' De opening was zo klein, daar kon een dief onmogelijk doorheen kruipen.

'Je vijanden zouden iets naar binnen kunnen gooien, toch? Of anders zou een boze geest misschien...'

'Geloof jij in boze geesten?'

'Nee.' In profetieën geloofde hij wel, en in wonderbaarlijke genezingen. 'In de kerk van de kolonel zag ik een keer een gehandicapte jongen die God aanriep. Aan het einde van de dienst...' Davids stem stierf weg.

Ik draaide me op mijn zij, luisterde naar de krekels en dacht aan boze geesten die door raamopeningen naar binnen glippen. Daarover zou David me overdag nooit hebben verteld. Madigidigi had misschien wel gelijk, dat het goed was in één bed te slapen als je samen op reis was.

De volgende ochtend vroeg luisterden we in bed naar het Afrikaanse nieuws op de Franse radiozender RFI. In het dal waren vijfhonderd militairen van het Rwandese regeringsleger gesignaleerd; ze hadden de VN-vredesmissie MONUC gehinderd in haar werk. David lag op zijn rug, één en al oor. 'Straks geven de Rwandezen natuurlijk weer een communiqué uit waarin ze alles ontkennen,' bromde hij.

'Wie weet – misschien zijn het wel geen Rwandezen.' Er woonden veel Hutu en Tutsi in het oosten van Congo – het was soms moeilijk hen van Rwandese infiltranten te onderscheiden.

'Pfff...' David blies tussen zijn tanden. 'Natuurlijk zijn het Rwandezen! Ze zitten overal. De kolonel zou commandant in Bukavu moeten worden, híj kent het verschil tussen Rwandezen en Congolezen. Als hij beneden was, zou geen Rwandees nog naar Congo durven te komen, want hij háát ze.'

Zijn toon was verbeten. We hadden nog nooit over de kolonel gepraat en ook nu was ik op mijn hoede – ik wilde mijn reis niet in gevaar brengen. Ik deed of ik verder luisterde naar het nieuws, maar mijn gedachten dwaalden af naar wat David net had gezegd. De geruchten die ik in Minembwe had gehoord, klopten dus: de kolonel en zijn mannen wilden hun macht uitbreiden naar het dal.

Vijf jaar eerder had de kolonel in Uvira een aanvaring gehad met de Rwandezen, omdat hij het niet eens was met hun inmenging in Congolese zaken. Hij was de hoogvlaktes in gevlucht, maar de Rwandezen waren hem achternagekomen, tezamen met loyale Banyamulenge uit het dal. De kolonel had zich met zijn mannen verscholen in het bos. Daar begonnen ze te bidden en stichtten ze een kerk die ze *Jangwani*, In De Woestijn, noemden, naar de barre omstandigheden waarin het woord Gods tot hen was gekomen. Al hadden de Rwandezen vliegtuigen en modern wapentuig, ze waren er niet in geslaagd hen uit te roken.

Sindsdien voelden de kolonel en zijn mannen zich onoverwinnelijk en begonnen ze ervan te dromen af te dalen om hun belagers in het dal mores te leren. Het gerucht ging dat ze zelfs de grens wilden oversteken om het Rwandese regime ten val te brengen. Een oude profetes fluisterde de kolonel goede raad in, de Bijbel deed de rest. Volgens curé Jorojoro had de administrateur van Minembwe het verhaal van de gebroeders Jakob en Esau in de kapel niet zomaar voorgelezen. Jakob had de zegening van Esau gestolen, net zoals de Banyamulenge in het dal de zegening van de kolonel hadden gestolen. Op een dag zou de kolonel hun dit betaald zetten.

Het radionieuws was afgelopen en Madigidigi's stem zoemde al een tijdje om de hut heen. Nu hoorde ik hem ongeduldig aan onze deur morrelen: 'Opstaan, slaapkoppen!'

Die zondagmiddag lagen we met Madigidigi en zijn broer in het gras naar een voetbalwedstrijd te kijken, omringd door een steeds wisselende groep vrienden die allemaal wilden weten hoe de broers aan een blanke kennis kwamen. Madigidigi stelde me voor alsof ik een trofee was die hij had gewonnen. Zijn vrolijkheid was zo aanstekelijk dat zelfs de serieuze David soms moest lachen.

De volgende ochtend stond ik uitgerust op, klaar voor de lange tocht naar Bijombo. Dorpjes zouden we niet tegenkomen, tenzij we van onze route afweken. Bovendien zouden we langs de eerste gevaarlijke plek komen waarvoor Jorojoro me had gewaarschuwd: een helling zo steil en onbegroeid dat ik, als ik achteroverviel, in het niets zou tuimelen.

'De dragers zijn er al,' zei Madigidigi. Bij de deur stonden een opgeschoten jongeman, een oude vrouw en een meisje van een jaar of tien. De vrouw droeg geen schoeisel en haar voetzolen waren vol kloven en barsten; de mannenschoenen van het meisje waren enkele maten te groot. Zij hadden allebei een mand op de rug. Moesten zij onze bagage dragen op de tocht naar Bijombo?

David was de hut uit gekomen. 'Wie heeft dit geregeld?' vroeg ik. De oude vrouw ving mijn blik en sloeg een beschermende arm om het kind heen. Met een hoge stem praatte ze op David in, nu en dan smekend naar mij kijkend. 'Als wij hen niet nemen, neemt iemand anders hen,' zei David. Ik keek naar Madigidigi. 'Geloof me,' zei die, 'je bewijst hun een dienst.'

De vrouw pakte mijn Samsonite-koffer en snoerde die met een touw vast aan haar mand, de jongeman nam onze reistassen die we in plastic zeil hadden gewikkeld, het meisje propte mijn rugzakje in haar mand. Ik pakte mijn stok, David zijn paraplu. We omhelsden Madigidigi en zijn hele familie en gingen op weg.

De oude vrouw praatte aan één stuk door, alsof ze me iets verschuldigd was. Ze was een Fulero. Hoe oud ze was, wist ze niet. Ten tijde van de onafhankelijkheid was ze moeder van één kind geweest. Dan moest ze vooraan in de zestig zijn, rekende ik uit – in deze contreien een bejaarde. Veertien kinderen had ze gekregen, waarvan er vier overleden waren. Een van haar zonen was aan malaria gestorven en had haar dit meisje nagelaten.

De stem van de vrouw deinde met ons mee, gaf een ritme aan onze pas. 'Welke taal spreken jullie?' vroeg ik aan David, die vertaalde. Het omaatje barstte in lachen uit. 'Kinyamulenge natuurlijk,' riep ze, 'weet de blanke niet dat de Banyamulenge en de Fulero familie zijn?' Dat had ik wel eens anders gehoord. Iedereen klaagde altijd dat de Banyamulenge zich niet mengden met de volken waarmee ze leefden; als kwikzilver waren ze, ze losten niet op in hun omgeving. Maar de vrouw bleek een zoon te hebben die getrouwd was met een Munyamulenge-vrouw.

We liepen door een heuvellandschap met lage bomen en struiken. Tijdens onze eerste stop deelde ik de gekookte maïskolven uit die Madigidigi ons had meegegeven. Ook zonder de mand op haar rug liep het omaatje gebogen. Haar kleindochter klemde de maïskolf in beide handen en keek me aan met een blik die me door het hart sneed. Haar stemmetje was veel jonger dan haar leeftijd en knaagde aan mijn geweten.

De mannelijke drager was zwijgzaam en draaide zijn ogen weg als ik naar hem keek. Een Rwandese Hutu – hij verbouwde land voor de Banyamulenge en verdiende tussendoor iets bij als drager. 'Heeft de kolonel geen problemen met mensen zoals hij?' vroeg ik aan David, onze ochtendlijke bedconversatie indachtig. David haalde zijn schouders op. 'Mensen komen uit Rwanda om werk te zoeken, je kunt ze niet tegenhouden.'

Stijgen, dalen, soms over oneffen, rotsig terrein – we zwoegden voort en werden steeds stiller. De zon scheen, er woei een fris windje en in de diepte hoorde ik een rivier ruisen. De lucht geurde naar gras en wilde bloemen. Waarom had niemand me verteld over de genoegens van deze tocht, waarom hadden mijn vrienden me alleen maar gewaarschuwd voor de moeilijkheden?

Herinneringen dwarrelden mijn hoofd binnen, aan zomers van vroeger waarin we bosbessen gingen plukken in Overpelt. De droge naalden van de dennenbomen knisperden onder onze voeten, de bessen vielen met een hol geluid in onze plastic bekers. De witte auto van de opkopers stond geparkeerd bij de ingang van het bos. Hoeveel verdienden we, twee franc per kilo? Toch deden we het elke zomer weer. Lauwe cola drinken in de berm, een eekhoorntje met een rosse staart weg zien schieten, bessen eten tot onze tong en lippen blauw kleurden. En dan, tegen het avonduur, met het geld op zak naar huis fietsen waar mijn moeder de stoep stond te schuren terwijl binnen alles geurde naar groene zeep.

'Niet vergeten voeten te vegen, hè?' Ik hoorde haar zomerse stem en zag haar voor me, een lok haar uit het gezicht wrijvend. Onverhoeds schoot het beeld van haar laatste dagen voor mijn ogen. In foetushouding lag ze, klein en teer tussen de witte lakens – weerloos in de armen van de dood. 's Nachts sliep ik in een laag bedje naast het hare. Soms jammerde ze, dan maakte ik haar mond vochtig, gaf haar te drinken met een spuitje. Cola met water. Ze dronk en dronk, haar ogen werden steeds groter.

Dit was de eerste reis die ik sinds haar dood maakte. Het was niet eenvoudig geweest weer in beweging te komen; soms voelde ik hoe wankel ik nog was.

We waren een steile, modderige helling op gelopen. Ik plantte de ijzeren punt van mijn stok – mijn derde been, zoals David het noemde – stevig in de grond en trok mezelf omhoog. Eenmaal boven vielen we een voor een neer in de weide, lachend van uitputting. Er stond een hut waarin een vrouw gestremde melk en gegrilde maniok verkocht. Twee klanten keken ons nieuwsgierig aan. Ze hadden zwarte aktetassen bij zich. Een schoolhoofd en een predikant, op weg naar een religieuze conferentie.

'Het zwaarste zit erop,' zei David, over de heuvels turend, 'Bijombo is niet ver meer.' Plotseling daagde het me dat de venijnige helling die we net hadden getrotseerd, het eerste gevaarlijke punt moest zijn dat Jorojoro me had aangewezen.

'Hoeveel kinderen heeft ze?' Ze bleven maar toestromen, de buren van predikant Simon die de blanke bezoekster van dichtbij wilden bekijken. 'Twee maar, zo weinig?' Ze lachten. 'Wij hebben veel meer kinderen, er is hier plaats genoeg!' Hoe heetten ze? Waarom had ik hen thuisgelaten? Studeerden ze al, hoe kon dat? Ze keken me vorsend aan, probeerden mijn leeftijd te schatten. We zaten op stoelen in de kleine huiskamer van de predikant, David en ik naast elkaar, de dragers tegenover ons, en lieten de drukte over ons heen komen.

Het omaatje en haar kleindochter hadden hun manden op de grond gezet – moe na gedane arbeid. Iedereen kwam ons een hand geven, maar hen sloegen ze over, alsof zij er niet waren. De oude vrouw bleef lachen, blij dat we gearriveerd waren, blij met de commotie die onze aankomst teweegbracht. Goedhartig deelde ze de lolly's die ik haar had gegeven uit onder de kinderen. Het meisje legde het hoofd op oma's schouder en sloot haar ogen.

David was in gesprek met predikant Simon. Hij legde mij uit, leek het wel: wat ik at, hoe ik sliep, wat we hadden meegebracht. Er was een privéschool in Bijombo, zei hij, gebouwd met geld van een hulporganisatie in Uvira. In een van de vleugels was een gastenverblijf ingericht. Daar konden we slapen.

Buiten was het schemerig en koud. Mistslierten onttrokken de omliggende heuvels aan het zicht. Bijombo was dichter bebouwd dan Minembwe. In het centrum stond een groot rechthoekig kerkgebouw met eromheen behalve hutten ook stenen huizen. Mannen liepen met radio's rond. Het was onrustig in het dal, zei David – ze luisterden naar het nieuws. Het bos waar de kolonel zich had schuilgehouden, lag vlakbij, David had het me aangewezen. De mensen van Bijombo hadden de kolonel gesteund, zei hij, ze hadden hem melk en koeien gebracht.

De school lag aan de rand van Bijombo; ze had bakstenen muren en een golfplatendak. Rechts van de ingang lag het gastenverblijf: een grote kale kamer met tafel en stoelen, een slaapkamer met twee bedden. David liep inspecterend rond. Hij was verguld toen hij hoorde dat de kolonel en zijn gevolg hier een keer hadden geslapen.

Schoolhoofd Sebagabo kwam zijn opwachting maken: zo meteen zou iemand ons warm water en eten brengen, en gingen we daarna mee naar de nachtwake in de kerk? Er waren bekende predikers uit het dal gekomen – heel Bijombo zou er zijn. 'Nee, nee, vanavond niet,' zei ik mat, 'wij hebben zeven uur gelopen – ik denk dat ik maar eens vroeg naar bed ga.'

Enigszins gedesoriënteerd bleef hij in de kamer staan. 'David wil misschien wel mee,' zei ik vergoelijkend, 'maar ik ben niet gewend... In Europa gaan sommige mensen zelfs 's zondags niet naar de kerk.'

Sebagabo wisselde een vlugge blik met David. 'Maar wat doen jullie 's zondags dan?' vroeg hij. 'God heeft gezegd dat je elke zondag moet bidden, anders ben je een heiden.'

Heiden – dat woord had ik al lang niet meer gehoord. 'De Banyamulenge zijn pas aan het einde van de jaren veertig christelijk geworden. Wat deden uw grootouders vroeger op zondag, denkt u?' Ik schaamde me voor mijn brutaliteit, maar het leek me raadzaam hem meteen de pas af te snijden: ik was niet van plan mijn tijd in Bijombo biddend door te brengen.

David wilde de wake graag bijwonen, maar durfde me niet alleen te laten – wat als iemand van zijn afwezigheid gebruik zou maken om mij kwaad te berokkenen?

'Morgen komen we,' suste ik, 'met plezier.'

Een man bracht witte kool en vlees met aardappelen, die in palmolie waren gaargestoofd. Borden waren er niet, we aten uit omgekeerde pannendeksels.

Later zat ik aan tafel te schrijven terwijl David zijn rubberlaarzen schoonmaakte. 'Jouw beroep inspireert me,' zei hij. 'Ik zou ook wel willen schrijven.'

'Waarover dan?'

'Over de geschiedenis van de Banyamulenge. En over de twisten die er tussen ons zijn uitgebroken.' Aan het einde zou hij een hoofdstuk inruimen, zei hij, waarin hij iedereen raad zou geven.

's Ochtends vroeg werd er aangeklopt. David lag nog in bed. Predikant Simon en zijn vrouw – ze brachten een ngongoro met verse melk langs. Achter hen, op de speelplaats, staarden middelbare scholieren me aan alsof ik een geestesverschijning was. Schielijk sloot ik de deur. Wat een idee, om het gastenverblijf uit te laten komen op de speelplaats!

Geroezemoes steeg op toen ik de predikant en zijn vrouw

uitgeleide deed. We liepen een eindje samen op. Naast de school werd er ook gebouwd, door kinderen. Zodra ze ons opmerkten, verlieten ze de bouwplaats en liepen joelend achter ons aan. Ook nadat we de school hadden bezocht en ze me allemaal hadden gezien, zouden de leerlingen me blijven aangapen.

Ngiriyomba, die ons gisteren eten had gebracht, stookte hout in een ijzeren ton in het midden van de kamer en bracht de melk aan de kook. Hij was de aardigheid zelve. Ik zei dat ik koffie wilde, maar hij warmde de resten van de vorige avond op en maande me te eten. In de slaapkamer maakte David zijn toilet: hij keek naar zichzelf in het groene plastic spiegeltje, borstelde zijn dunne snor en ging met de borstel over zijn hoofd, al was dat kortgeschoren.

Tegen de avond liepen we, geëscorteerd door schoolhoofd Sebagabo, naar het centrum van Bijombo, waar alweer een nieuwe bidwake was begonnen. Ik had het bezoek voor me uitgeschoven, maar zodra ik de kerk naderde, betreurde ik mijn recalcitrantie: het hele dorp was uitgelopen en luid gezang kwam ons tegemoet. Binnen was het donker, alleen een paar olielampen aan de muren belichtten de aanwezigen. Achter in de kerk stond een rij stokken met hoeden erop, voorin op het podium zaten vier predikers aan een lange tafel. Een van hen droeg een gebreide trui met de woorden *Jesus Cares*.

De vijfde predikant was van het podium afgestapt. Hij oreerde, gebaarde, richtte zich met een vraag tot het publiek dat instemmend antwoordde, waarop hij opnieuw iets vroeg, harder nu, dreigender. Sebagabo vertaalde fluisterend. Over de Exodus van het verkozen volk uit Egypte ging het. Mozes loodste hen door de woestijn, zijn opvolger Jozua bracht hen naar het beloofde land. De predikant riep de verschrikkingen van hun tocht in herinnering, de angsten die ze hadden doorstaan, de gevechten die ze moesten leveren tegen het volk van Kanaän om het beloofde land te veroveren. Maar God zei: Als ze Hem zouden volgen, zou Hij hen verlossen.

De prediker liep op en neer, één vinger hoog in de lucht, het zweet van zijn voorhoofd vegend met een zakdoek. Zijn schaduw wandelde groot en donker met hem mee over de witte muren. De gelovigen volgden al zijn bewegingen, vielen hem bij, beantwoordden zijn retorische vragen, reikten met gespreide handen naar de hemel en riepen de Heer aan. Ze gingen zo op in zijn verhaal dat ze met Mozes door de woestijn leken te lopen, dat ze samen met Jozua leken te vechten tegen de Kanaänieten.

Ik dacht aan de Vlaamse redemptoristen waarover mijn vader me vroeger vertelde, die van dorp naar dorp trokken om hellepreken te houden. Op koude winteravonden spoedden mensen zich massaal naar de kerk en lieten zich daar de stuipen op het lijf jagen. Soms waren ze zo bang voor het hellevuur waarin ze zouden branden dat ze zich midden in de nacht naar het konijnenhok haastten, hun vetste konijn bij zijn nekvel pakten en het als een offer naar de pater brachten. Volksverlakkerij zou mijn vader het later noemen, maar als kind aan de hand van zijn moeder had hij even hard gehuiverd als de rest.

David was naar voren gelopen en even was ik hem kwijt. Hij zat tussen de anderen in de zijbeuk. Zonder zijn vilthoedje viel hij veel minder op. Ook hij had alleen oog voor de predikant. Hij had me toevertrouwd dat de militairen van de kolonel altijd baden voor ze ten strijde trokken tegen de Rwandezen. Daarom hadden ze gewonnen. Want dat zei de

Bijbel: Wie met God was, zou winnen.

De olielampen wierpen grillige schaduwen in de rondte. Voorin speelde iemand enthousiast op een synthesizer en er werd gelachen, gezongen en gedanst. De mannen in hun ouderwetse kleren die overdag zo statig door de heuvels paradeerden, ze zwenkten met hun bovenlichaam heen en weer; vrouwen klapten in hun handen en bonden de paan waarmee ze hun kind op de rug droegen, nog eens extra vast.

De prediker met de Jesus Cares-trui was opgestaan. Hij praatte over demonen die de gewoonte hadden zich onder marktgangers te begeven en die ook vertoefden op kruisingen van paden en rivieren. Ik luisterde met stijgende verbazing. Deze mannen kwamen uit de stad – was dit het soort nieuws dat zij hun achtergebleven dorpelingen brachten? Gelovigen moesten een tiende van hun inkomsten afstaan aan de kerk, zei hij, anders hadden hun gebeden geen waarde.

Nu en dan slopen er woorden uit de moderne wereld zijn donderpreek binnen. 'Als de mens niet naar God luistert heeft hij, net als de mobiele telefoon, geen bereik!' riep hij. En: 'Jullie moeten hetzelfde doen met jullie zonden als ik met overbodige documenten op mijn computer: ze in de prullenbak gooien!' Het meisjeskoor viel in en zong over de duivel die last kreeg van hoge bloeddruk omdat God hem in het nauw had gebracht.

Na een uur of drie stootte ik Sebagabo aan. 'Hoe lang gaat dit nog duren?' 'Misschien wel tot het ochtendgloren,' zei hij. 'Zullen we gaan?' Hij knikte – met tegenzin. We stuurden een jongetje naar David toe, maar die gebaarde dat hij wilde blijven.

Buiten stond de maan hoog aan de hemel. Het kerkgebouw

rees donker op boven de kleine huisjes. Ik was stil geworden van wat ik net had gezien en voelde me enigszins ongemakkelijk. Hoe kwam het dat iedereen in de kerk zo meeleefde met het verhaal van Mozes, Jozua en hun volgelingen? Was het omdat de Banyamulenge in het verleden zelf hun land hadden verlaten? Waren de hoogvlaktes hun beloofde land? Er klonk een zekere wanhoop in hun gebeden – hing die samen met de onrust in het dal, baden ze daarom zo intens, om het onheil af te wenden?

Ik probeerde er met Sebagabo over te praten. 'C'est à dire, il y a ceci...' begon die, een aanloopje waarmee hij menige zin inleidde. 'De Banyamulenge hebben veel tijd,' vervolgde hij. 'Als ze hun koeien hebben gemolken is er niet zoveel meer te doen. Vandaar dat ze graag in de kerk zitten om naar verhalen van predikanten te luisteren.'

David liet uren op zich wachten en toen hij eindelijk kwam, stroomde de adrenaline door zijn lijf. Hij had een recorder geleend en cassettes met religieuze liedjes die hij meteen begon te draaien. Een van de predikers was een bekende ziener, vertelde hij, die de oorlog van de Rwandezen tegen de kolonel had voorspeld. Tijdens zijn preek was de Heilige Geest in de kerk neergedaald – hij had hem gevoeld.

Gisteren wilde David nog schrijver worden, vandaag leek predikant hem een beter beroep. Hij noteerde de teksten van de religieuze liedjes in het schrift dat ik hem had gegeven. 'Op een dag,' zei hij, opkijkend, 'zal ook jij het woord Gods horen.'

'Niet iedereen gelooft hetzelfde,' zei Sebagabo, die blijkbaar had nagedacht over de goddeloze zondagen in Europa waarover ik hem gisteren had verteld, 'sommige mensen zijn beïnvloed door het existentialisme van Sartre.' Hij bekende dat hij eens een Amerikaan had ontmoet die vond dat de Banyamulenge leefden zoals de Amerikanen tweehonderd jaar geleden.

David leek hem niet te horen. 'Ooit kom ik naar Nederland om te preken,' zei hij. 'Wat denk je, ben ik strafbaar als ik daar iemand probeer te bekeren?'

Pas toen Sebagabo naar huis was gegaan, kalmeerde hij. Eerder die dag had hij een boek over Sankara, de vermoorde president van Burkina Faso, uit de schoolbibliotheek gehaald. Hij streelde de cover: een portret van de jonge president in militair tenue. 'Sankara was eenvoudig, hij streed tegen corruptie,' zei hij dromerig. 'De kolonel houdt van hem.' De kolonel was Davids enige autoriteit; behalve de naam van president Joseph Kabila, met wie de kolonel een pact had gesloten, kende hij geen enkele Congolese politicus. De voorzitter van het parlement, de ministers – hun namen zeiden hem niets. Hij was een jongen uit het oosten: de hoogvlaktes waren zijn land.

'Vroeg of laat zal iemand ook een boek over de kolonel schrijven,' zei hij.

'Er is al het een en ander over de kolonel geschreven.'

'Wat dan?'

'Als je meegaat naar Uvira, breng ik je naar een internetcafé, daar kun je het allemaal lezen.'

Hij kon me nauwelijks geloven. In het begin was hij helemaal niet enthousiast geweest om het laatste stuk van de afdaling met me te maken. Hij was al jaren niet meer in Uvira geweest, hij vreesde dat het er niet veilig was voor aanhangers van de kolonel. Maar naarmate we dichterbij kwamen, nam zijn weerstand af.

Het houtvuur in de ton was gedoofd en het werd koud in de kamer – tijd om naar bed te gaan. 'Heb je geen heimwee naar Minembwe?' vroeg ik. David knikte. 'Maar op een dag zul je heimwee krijgen naar deze reis,' troostte ik hem.

Hij borg zijn boek en schrift op in zijn tas. 'Niet naar deze reis,' zei hij, 'maar naar jou.'

Ook in Bijombo had ik algauw mijn kleine rituelen. 's Ochtends maakte de aardige Ngiriyomba het vuur aan en zette water op. David bleef vaak in bed liggen lezen – hij vond het koud in Bijombo. Zodra de school begonnen was, stak ik in een paan en T-shirt het speelplein over met een emmer warm water en waste me in een hoek van de aula.

Op een ochtend bleef het roerig op het plein. Ngiriyomba ging informeren wat er aan de hand was en kwam terug met het bericht dat de leraren – die allemaal Shi bleken – niet waren verschenen: een Shi-handelaar was aan malaria overleden en zij waren naar de begrafenis gegaan.

Dus zelfs het onderwijs lieten de Banyamulenge aan de Shi over! Ik bleef die hele ochtend in mijn paan en T-shirt aan tafel zitten terwijl de leerlingen zich verdrongen bij de deur. Telkens als die openging, gluurden ze naar binnen. Ik voelde me als de negerpiloot in het verhaal *Een dier houden* van de schrijver Kenzaburo Oë, die met zijn vliegtuig crasht in een Japans dorpje en opgesloten wordt in de kelder van een pakhuis, waar de kinderen door een raampje naar hem komen loeren.

's Avonds bracht Ngiriyomba ons eten en soms bleef hij hangen. Dan zaten we met z'n drieën rond de olielamp die predikant Simon ons had geleend en warmden onze handen aan het houtvuur. Ngiriyomba had de hoogvlaktes nooit verlaten, hij sprak alleen Kinyamulenge en praatte het liefst over koeien. Die waren alles in het leven van de Banyamulenge, zei hij.

Pas nadat een koe voor het eerst had gekalfd, kreeg ze een naam, bijvoorbeeld Kirayi, De Zwarte, of Gitanga, De Lichtbruine. Een donker meisje kreeg een afgeleide van die naam, Nakirayi. Een lichtbruin meisje werd Nabitanga genoemd. Voor haar kon een familie een hoge bruidsprijs vragen. Broers waren boos als hun zus niet jong genoeg trouwde: 'Wat hang jij hier nog rond, kijinge,' scholden ze dan, 'waarom heeft niemand nog koeien voor jou betaald zodat wij op onze beurt voldoende koeien hebben om te trouwen?'

Op mijn vraag of hij een liedje over de liefde kende, schudde Ngiriyomba ontkennend het hoofd. Die bestonden niet, zei hij. 'Een liedje over de liefde voor een koe dan?' Verlegen keek hij naar David. Dat kende hij wel, maar hoe het ten gehore te brengen?

Hij reciteerde het als een gedicht. David was zo enthousiast dat hij zijn schrift pakte om het te noteren. Het ging over een oude man die thuis was gebleven toen zijn koeien op *transhumance*, seizoenstrek, waren vertrokken, op zoek naar groene weiden. Hij had heimwee naar zijn koe die kortgeleden voor het eerst had gekalfd en 's avonds naar huis rende om haar kalfje te zien, gevolgd door een tweede koe, wier naam was: Zij Die Mij Ondersteunt. Tijdens het vertalen kwamen David en Ngiriyomba niet bij van het lachen, alsof ze me inwijdden in een geheim, alsof ze zich plotseling realiseerden hoe bizar het was dat een volwassen man een liefdeslied zong over een koe.

Overdag trokken David en ik eropuit. We brachten een bezoek aan de predikers die een huis tot hun beschikking hadden gekregen in het centrum van Bijombo. Ze waren gekomen om een boodschap van vrede te brengen, zeiden ze. De
predikant met de Jesus Saves-trui sprak Engels; hij hoorde
tot de *Assembly of God*, een uit de Verenigde Staten overge-
waaide protestantse sekte die in de hele regio opgang maakte. Hij had in Kenia gestudeerd en was in Engeland en Israël
geweest, maar de anderen waren veel minder bereisd en
spraken alleen Kinyamulenge. De profeet van gisteravond
lag op de bank uit te rusten van het bezwerende betoog dat
hij had gehouden.

In de zijkamer zat hun secretaris een brief te tikken op een
grote zwarte typemachine. Hadden ze die helemaal de berg
op gesleept? Jesus Saves lachte. Deze keer was het makkelijk
gegaan, zei hij, maar in het verleden werden ze eens tegenge-
houden door een Mayi Mayi die nooit eerder een typemachine had gezien en dacht dat het hoogwaardige communica-
tieapparatuur was; die mocht onder geen beding mee. 'We
waren maar een halve dag van Uvira verwijderd en ik had
nog bereik, dus ik belde de chef van de Mayi Mayi. Die vroeg
of hij met zijn militair kon spreken. Nam de Mayi Mayi het
toestel aan en begon erin te praten alsof het een walkietalkie
was!'

Ze lachten hartelijk. 'Denk je dat hier ooit ontwikkeling
komt?' vroeg de voorspeller op de bank.

Ik vertelde hem over Butembo, een stadje in het noordoos-
ten van het land, waar de bewoners hun lot in eigen hand
hadden genomen en zelf een universiteit en een stuwdam
hadden gefinancierd. Maar zijn vraag was wellicht retorisch
bedoeld en Butembo te ver weg, want terwijl ik praatte, viel

hij in slaap. Praktische zaken lieten deze predikanten blijkbaar liever over aan God.

Verderop, in een stenen huis met houten luiken en een golfplatendak, woonde Mutumitsi, de oude vader van een kennis die dokter was in het dal. We troffen hem in de zitkamer, gehuld in een regenjas, een gleufhoed op het hoofd. Hij had een mooie, sterke kop, zijn huid glansde als koper en de pupillen van zijn intelligente ogen waren omgeven door een lichtblauw waas. Hoe oud hij was, wist hij niet precies, maar tijdens de Eerste Wereldoorlog was hij een kind – hij moest dus in de negentig zijn.

Zodra we binnen waren, stroomden mannen met hoeden toe die zich op stoelen en bankjes om Mutumitsi heen zetten en me nieuwsgierig aankeken. De kamer vulde zich met stemmen, oogwit schoot als metaal heen en weer in het halfdonker – David, die vertaalde, had enige moeite het tempo bij te houden.

Over de Belgen wilden ze praten, die zo laat scholen in de hoogvlaktes hadden gebouwd dat de Banyamulenge achter waren gebleven bij de rest. Al lag dat ook aan henzelf, bekenden ze – zij ontvluchtten de Belgen omdat ze hen niet op hun rug wilden dragen en omdat ze de straffen niet wilden ondergaan die de kolonisator uitdeelde aan ongehoorzamen.

Toen hun voorouders in de negentiende eeuw met hun koeien uit Rwanda waren gekomen, hadden ze hier vooral Bembe aangetroffen, een taai volk dat maïs en bonen verbouwde en in de bossen op wilde dieren jaagde. Zij waren nieuwkomers, als ze zich ergens wilden vestigen, moesten ze koeien betalen aan de *mwami*, chef. Verder waren ze ondergeschikt aan het lokale gewoonterecht. De Bembe hadden hen verborgen gehouden – ze waren bang dat de Banya-mulenge anders erkend zouden worden door het Belgische bestuur.

Soms werden ze het niet eens en op een dag togen Bembe naar het dal om zich bij de Belgische administrateur te beklagen over de koeien van Mutumitsi's clan, die de wilde dieren in het bos op de vlucht deden slaan. Tachtig koeien moesten de Banyamulenge betalen, waarna ze het recht verwierven zich te vestigen in Tulambo, een weidegebied in de buurt van Minembwe. Tot een Belgische veehandelaar deze streek op zijn beurt ontdekte en hen verdreef.

Deze keer ging Mutumitsi met een delegatie zijn beklag doen bij de Belgische administrateur, maar die was onverbiddelijk. Hun tachtig koeien konden ze terugkrijgen, maar hun land en huizen waren ze kwijt. 'Die koeien hebben we natuurlijk geweigerd,' besloot Mutumitsi.

De oude mannen hadden meegeluisterd, hummend, instemmende klikgeluiden makend met hun keel. Het was een bekend verhaal, ik had het al in verschillende variaties gehoord – een van de koloniale wonden die telkens weer opengingen als ik met Banyamulenge praatte.

Ook het verhaal van Ngandja kwam onvermijdelijk ter sprake. In de taal van de Bembe betekende Ngandja: heel koud. Vier dagen lopen hiervandaan lag het, de Banyamulenge trokken ernaartoe tijdens de transhumance, als de wind van het droge seizoen door de heuvels begon te waaien, het gras dor werd en het vee schriel. In Ngandja regende het overvloedig en waren de weiden eeuwig groen. Telkens werden ze door de Bembe verjaagd, soms met geweld, maar elke keer gingen ze opnieuw die kant op.

'Jullie zijn koppig,' zei ik.

'Wij zijn met weinigen,' antwoordde een van de mannen. 'Als wij op de vlucht slaan, brengen we onze hele gemeenschap in gevaar. We sterven nog liever.'

Tegen de invloed van de missionarissen hadden ze zich aanvankelijk even koppig verzet. Tot de jaren veertig geloofden zij in de god Lyangombe. Ze bouwden een hut voor hem en offerden een geit, een schaap of een stier vooraleer ze hem om gunsten vroegen. Maar de missionarissen leerden hun dat Lyangombe de duivel was. 'Ah, Lyangombe!' verzuchtte een van de mannen nostalgisch.

In 1950 stuurde Mutumitsi zijn oudste zoon naar een missieschool in het dal. Hij moest enige reserves overwinnen, want in Uvira heerste malaria en zijn zoon zou bij de missionarissen kippen en eieren eten, wat bij de Banyamulenge taboe was. Uiteindelijk reisde Mutumitsi met een groep wijze mannen naar beneden en vroeg de missionarissen een school te beginnen in Bijombo.

Een jongetje was de kamer binnengekomen. Mutumitsi strekte zijn armen naar hem uit en trok hem naar zich toe. Het was een van de twee zoontjes die zijn derde vrouw hem had geschonken. Om hem heen schuifelden de mannen met hun voeten en een voor een stonden ze op. De magie van het verleden die zonet nog in de kamer had gehangen, was verbroken.

Negentig jaar, was dat niet een beetje oud om kinderen te krijgen? Schoolhoofd Sebagabo lachte toen ik hem ernaar vroeg. 'Het zijn wel degelijk Mutumitsi's kinderen,' zei hij, 'al is het weinig waarschijnlijk dat hij ze zelf heeft verwekt.' Wellicht was een jonger familielid op een nacht langsgekomen – daar nam volgens hem niemand aanstoot aan.

'Zie je die heuvel? Als je daarbovenop staat, kun je alle radio-programma's ontvangen.' Sebagabo liep voor me uit, mijn rugzakje bungelend aan zijn schouder. David verwaardigde zich niet iets te dragen – hij mocht eens iemand tegenkomen die hij kende, ze zouden hem uitlachen – maar Sebagabo had het rugzakje die ochtend zonder iets te zeggen van me overgenomen.

We waren met z'n tweeën op weg naar een Bembe-dorpje. David hadden we thuisgelaten, in bed, lezend in zijn boek over Sankara. De in elkaar vloeiende heuvels met toefjes donkergroene begroeiing, de huttendorpjes omzoomd met maïs- en bonenvelden, de lage hemel met zijn dramatische witte wolken, de stilte die alleen doorbroken werd door koeiengeloei en het ruisen van een riviertje in de diepte – misschien was het niet verwonderlijk dat verhalen over het beloofde land in deze omgeving zo goed gedijden.

Hoog op een heuvel tekende zich een omheining van bamboestokken af. Sebagabo koerste gedecideerd in die richting. Kinderen stonden achter de schutting naar ons te kijken en naarmate we dichterbij kwamen, werden het er steeds meer. Sebagabo duwde een poortje open en we liepen een weide op; aan het einde stonden een paar gebouwtjes met verroeste golfplatendaken.

Het leem was afgebrokkeld, het staketsel stak erdoorheen. Een rechthoekig gat deed dienst als deur. Binnen zaten kinderen op lage bamboebankjes in het halfdonker naar een bord te staren. Ze keken ons met grote ogen aan. Na de stenen rijkdom van de middelbare school in Bijombo sloeg de lemen armoede van dit schooltje me in het gezicht. De kinderen waren overwegend Bembe, al bespeurde ik ook enkele Banyamulenge – die woonden te ver weg om elke dag naar Bijombo te lopen, zei Sebagabo.

De aardrijkskundeles was in volle gang. *Cambodge, Japon, Vietnam* had de onderwijzer op het bord geschreven. Hoe kon je die namen bevatten in dit klaslokaal zonder atlas of wereldbol, wat hadden zij te maken met het leven hier? De predikers die door de hoogvlaktes trokken om vrede te brengen, waarom bezochten zij alleen Banyamulenge-dorpjes? Waren de kinderen in deze verweerde gebouwtjes soms geen schepselen van God?

Het Bembe-dorpje lag aan de rand van een bos en ook daar waren de hutten verwaarloosd. Eén moestuintje zag ik, met zonnebloemen en rondscharrelende kippen, verder was alles waar mijn oog op viel gehavend. Een Bembe-predikant die Bijbelles volgde in Bijombo nodigde ons uit in zijn hut en terwijl we rond het gedoofde vuur zaten, kwamen nieuwsgierigen langs. Ze praatten zonder schroom en al zeiden ze soms harde dingen, Sebagabo vertaalde geduldig.

Ze vertelden over de oorlog die over dit gebied was gekomen en die hen de bossen in had gejaagd. Sommigen hadden enkele koeien gehad, maar die waren verdwenen, net als de apen, wilde zwijnen, vossen en antilopen in het bos: de soldaten die hen gevolgd waren, hadden ze opgegeten. Zelf leden ze honger en hun kinderen stierven aan malaria en dysenterie.

Ze hadden het niet over de oorlog van de Rwandezen tegen de kolonel, maar over de grote oorlog van Kabila tegen Mobutu, die begonnen was in het oosten en geëindigd was vijftienhonderd kilometer hiervandaan, in de hoofdstad. Hij had de vroegere verhoudingen in de hoogvlaktes doen kantelen en de Banyamulenge aan de macht gebracht.

Nu en dan moesten de Bembe uit het bos komen om maïs te stampen voor Banyamulenge-vrouwen in ruil voor een paan, want zelfs kleren hadden ze niet meer. Totdat sommigen hun angst overwonnen en terugkeerden naar hun vroegere dorpen. Sindsdien verbouwden ze weer maïs en bonen en velen trokken eropuit om goud te zoeken in mijnstadjes in de omgeving. Vandaar dat hun hutten er zo desolaat uitzagen. Zelfs de predikant in wiens huis we zaten bekende dat hij soms goud ging zoeken.

In een sombere stemming verliet ik het dorp. Maar Sebagabo dacht aan andere zaken. 'De Bembe zijn trots,' zei hij, 'even trots als wij. Nu ze met weinigen zijn, zijn ze ongevaarlijk, maar o wee als ze met velen zijn – dan kunnen ze heel gemeen worden.'

De leerlingen waren gelukkig al naar huis toen ik bij de school van Bijombo aankwam. De luiken van ons slaapvertrek stonden open. Was dat niet Davids stem die ik hoorde? Hij praatte in het Kinyamulenge op een stoere, licht aanvallende toon – de manier waarop hij aan tafel soms tegen mij zei: 'Je moet meer suiker in je thee doen!' of 'Je moet nog een keer opscheppen!' – alsof hij ook verantwoordelijk was voor wat ik at. Ik stond stil om te luisteren. Zijn opmerkingen werden beantwoord met onderdrukt meisjesgelach.

Voorzichtig ging ik het gastenverblijf binnen. De slaapkamerdeur stond open. Er waren verschillende meisjes in de kamer, leek het wel. Davids brutale stem lokte steeds nieuw gelach uit.

Ik stak mijn hoofd om de deur. Hij lag op zijn rug in bed, zijn handen onder zijn hoofd. Op stoelen naast hem zaten twee meisjes: de jongere zus van zijn vrouw – die getrouwd was met een man uit een naburig dorp – en haar vriendinnetje. Het boek van Sankara lag opengeklapt op zijn borst en hij keek me zelfverzekerd aan: de grote reiziger uit Minembwe, die sterke verhalen uit zijn doos toverde.

In het Fulero-dorpje dat we de volgende dag bezochten waren de mannen veel feller. 'Er wonen vijf verschillende volkeren in de hoogvlaktes,' zei iemand, 'we trouwen allemaal onder elkaar, behalve de Banyamulenge, die willen ons hun dochters niet geven.'

We zaten buiten op houten krukjes in het gras en David, die mijn vragen vertaalde en ze meteen maar zelf wilde beantwoorden ook, sloeg af en toe geïrriteerd met zijn stok op de grond om de orde te handhaven, want iedereen praatte door elkaar heen. In de verte stampten twee vrouwen om beurten maïs in een grote vijzel – het ritmische gebonk zou ons de hele tijd begeleiden.

Versleten plastic schoenen, verschoten T-shirts – vergeleken bij de mannen zagen David en Sebagabo eruit als heertjes, maar toen Sebagabo zei: 'Oké, ik heb een dochter, je mag haar hebben', antwoordde een man, kijkend naar mij: 'Is het omdat zij erbij is dat je dit zegt?'

Op weg hiernaartoe had David me met zijn stok de varkens aangewezen die tussen de hutten scharrelden. Dat waren voor de Banyamulenge onreine dieren – hoe kon een Munyamulenge trouwen met een vrouw die opgegroeid was tussen hun uitwerpselen? Maar de zoon van het omaatje dat onze bagage van Mikalati naar Bijombo had gedragen was toch getrouwd met een Munyamulenge-meisje? 'Dat is iets anders,' zei David. 'Zo'n meisje verhuist naar een Fulero-dorp en maakt daar kinderen – je hoeft er niet elke dag tegenaan te kijken.'

'Ze zeggen dat wij vuil zijn,' riep een van de mannen, 'zelfs een arme Munyamulenge respecteert ons niet.' Alleen Banyamulenge die in het dal hadden gewoond en gewend waren met andere volkeren om te gaan, waren bereid samen met hen te eten. 'We moeten trouwen met elkaar,' herhaalde iemand, 'alleen dan zullen we niet meer bespot worden.'

Hun eerlijkheid ontroerde me. Toen ik vroeg wat de oorlog hun geleerd had, zei iemand: 'Hij leerde ons te vluchten', waarop iedereen in lachen uitbarstte. Met meer dan duizend hadden ze hun dorp verlaten. Een Bembe-mwami had hun gastvrijheid geboden – van hem hadden ze geleerd wat liefde was. Onderweg waren ze bestolen, hun kinderen waren gestorven – zo hadden ze geleerd te haten.

Sinds hun terugkeer naar het dorp hadden ze veel problemen. De staat zorgde nergens voor. De scholing van hun kinderen, het onderhoud van militairen – het kwam allemaal voor hun rekening. 'De militairen zouden in kampen moeten zitten,' zei een oude man, 'maar ze lopen vrij rond, ze worden niet betaald en vallen ons lastig.'

Veel zaken bleven onuitgesproken. Die kreeg ik pas te horen op de terugweg. Een Fulero-catechist, de enige die Frans sprak, kwam achter me aan en vroeg: 'Moet u onze kerk niet fotograferen?' Zodra hij alleen met me was, zei hij dat Bijombo vroeger onder het bestuur van Uvira viel, wat veel beter was. Tegenwoordig moest hij voor het minste geringste naar Minembwe, dat was verder weg.

'De afstand tot Minembwe is niet groter,' zei Sebagabo toen ik het hem vertelde, 'maar hij gaat liever naar Uvira omdat de administrateur daar een Fulero is.'

David liep kaarsrecht naast me. Sinds hij begonnen was het boek over Sankara te lezen was hij afwezig, alsof hij in een ander land verkeerde. Tijdens de discussie op het gras was hij regelmatig uitgevallen, lichtgeraakt, ongeduldig. Nu pikte hij boos met zijn stok naar takjes op het pad. 'Als een Munyamulenge vuil is,' zei hij, 'zal ik hem ook minachten.'

'Waar komen júllie vandaan!' Vier oude mannen die op de flank van een heuvel zaten, keken ons verbluft aan. Toen de jongste van de vier hoorde dat we een Fulero-dorpje hadden bezocht, vroeg hij met een ironische glimlach: 'En, hoe was het daar?' Hij klopte enthousiast op het gras naast zich: 'Kom er even bij!'

Ruhiri heette hij, hij droeg een rode gebreide trui en had pretlichtjes in de ogen: dat was nooit eerder voorgekomen, dat een blanke zomaar zijn beeld binnenwandelde terwijl hij in het gras zijn koeien lag te bewonderen. 'De laatste blanke die we hier zagen was een Italiaanse pater; hij was zo dik dat ze hem met touwen de heuvel op moesten hijsen.'

Het was een ongewoon, vrolijk gezelschap. Gekleed in een lichtgroene regenjas met een nepbontkraag was de oudste van het stel boontjes aan het doppen in een kasserol. Naast hem trok zijn vriend aan een pijp. De vierde man zag er met zijn ronde brilletje uit als een verdwaalde stadsintellectueel.

Aangespoord door zijn vrienden vuurde Ruhuri een salvo vragen op me af. Sebagabo was naast me neergezegen en vertaalde. Woonden de mensen in België en Nederland in hutten met strooien daken? Waren er bij ons ook koeien? Hoeveel stuks had een man doorgaans? Gaven goede vrienden elkaar soms een koe? Gingen mijn landgenoten tijdens het droge seizoen op transhumance? Hoeveel koeien betaalden zij als bruidsprijs? Waren onze koeienhoeders zwart of blank? Waarom woonde ik niet in mijn geboorteland?

Om al mijn antwoorden moesten ze lachen. Wist ik niet

hoeveel een koe in mijn land kostte, alleen hoeveel ik per kilo rundvlees in de winkel betaalde? Dan was ik net als de Bembe, die alleen geïnteresseerd waren in de koe als biefstuk. Dat een man in mijn land geen bruidsprijs betaalde, begrepen ze niet. Wie was dan de baas van de familie?

'Verdient een landbouwer bij jullie genoeg om een stenen huis te bouwen?' Ruhuri's ogen glommen ondeugend. Dat was een allusie op de arme boertjes die wij net bezocht hadden. De Bembe en Fulero waren jaloers op de Banyamulenge, zei hij. Zelf woonde hij overigens ook in een hut. 'Waarom?' 'Omdat ik op een dag misschien ga verhuizen.' Hij woonde al vierendertig jaar op dezelfde plaats.

'Ik hou alleen van mijn koeien,' zei Ruhuri, wijzend naar een aantal exemplaren die verderop stonden te grazen. Vijftig had hij er. 'Ik droom 's nachts van ze. Als een koe drachtig is, blijf ik bij haar tot ze bevallen is. Tijdens de transhumance neem ik ze mee naar Ngandja en leef ik vier maanden op melk.'

Een groep kinderen was dichterbij gekomen. Een van hen had ik al eerder gezien: het had in het dal een hersenoperatie ondergaan die niet geslaagd was en doolde sindsdien ongelukkig door de heuvels. Het werd gepest door de anderen. Tijdens het praten sloeg Ruhuri gedachteloos met zijn stok naar de plaaggeesten.

Ik wilde hier wel uren blijven, zorgeloos keuvelend met deze pientere, ironische mannen, maar de avond begon te vallen en David, die hoger op de heuvel met een bekende had zitten praten, gebaarde dat het tijd was om te gaan.

De kennis was een militair van de kolonel met wie David het vervolg van onze reis had besproken. 'Op vrijdag is het markt in Bijombo,' zei David, 'de dag erna gaan we naar

Kagogo. Dat is het veiligst.' Zijn stem klonk beslist, maar ook bezorgd: naarmate we verder afdaalden, zouden we steeds meer Mayi Mayi tegenkomen.

Op vrijdagochtend kreeg ik een brief. Een half A4'tje, keurig afgescheurd aan de zijkant, dubbelgevouwen en dichtgeniet. Hij kwam van predikant Simon, die me de afgelopen dagen regelmatig een ngongoro met melk had gebracht. '*Chère madame-écrivain, salutation du matin*,' schreef hij in hanenpoten die vervaarlijk over het papier dansten. Hij dankte me omdat ik hem als eerste had bezocht bij mijn aankomst in Bijombo, zei dat hij *tendrement* van me hield en vroeg of ik hem mijn adres wilde geven, plus een *petite ou grande aide*, als souvenir.

Ik bleef even met het briefje in de hand zitten. Een kleine of grote steun – wat zou hij daarmee bedoelen? Ik had, op aanraden van mijn vrienden in het dal, weinig extra geld meegenomen. Predikant Simon rookte noch dronk, met sigaretten of whisky kon ik hem dus geen plezier doen.

Maar David wist raad. Op de markt kochten we thee en suiker voor de predikant en voor de oude Mutumitsi, de vader van mijn kennis in het dal. Er waren meer Mayi Mayi dan ik tot nog toe had gezien, de meeste in bij elkaar geraapte tenues. David bespiedde hen vanuit zijn ooghoeken; ze verrasten reizigers die de afdaling maakten soms door zomaar het pad op te springen, had hij gehoord.

Struinend langs de stalletjes kwamen we ons keukenhulpje Ngiriyomba tegen met een grote tas. Hij haalde stageld op bij de marktkramers in ruil voor zegeltjes. Veertig dollar had hij al binnen, vertelde hij trots. Sommigen betaalden in natura, ze brachten maïsbloem of bonen naar een daarvoor aangewezen plaats op het marktterrein. Het geld en de goederen waren bestemd voor de militairen van de kolonel, terwijl de belastingen die de goudhandelaars en de delvers in de mijnen betaalden, naar de administratie gingen. Ngiriyomba wilde me nog meer vertellen, maar nadat David – die vertaalde – hem iets had toegebeten waarin het woord 'umuzungu', blanke, doorklonk, hield hij abrupt zijn mond.

Tegen de avond brachten we de thee en de suiker naar predikant Simon. Hij vroeg of ik de inwoners van Bijombo aan het einde van mijn bezoek een goede raad wilde geven. Ik dacht aan de predikers uit het dal die naar de hoogvlaktes waren gekomen om een boodschap van vrede te brengen, maar alleen voor de Banyamulenge gepreekt hadden en niet de moeite hadden genomen Bembe- en Fulero-dorpjes te bezoeken. 'Jullie zouden je deur wat meer open moeten zetten,' zei ik. Maar Simon begreep me niet. Hij liep naar de deur van zijn woonkamer en opende die. Een gure wind woei naar binnen. 'Zo goed?' vroeg hij.

De oude Mutumitsi stond, leunend op zijn stok, voor zijn huis toen we langskwamen. Hij pakte mijn handen en liet ze niet meer los. Het was aangenaam daar zo te staan, zijn wonderlijke bruine ogen met de lichtblauwe halo in de mijne. Zijn zoon, de dokter in het dal, had politieke geschillen met de kolonel en Mutumitsi was te oud om zelf nog te reizen. Het was onwaarschijnlijk dat vader en zoon elkaar nog ooit zouden zien. Die sterke, warme handen – ze leken zijn kind in het dal te groeten. Nu klonk zijn hese stem. 'Wat ga je, als je thuiskomt, over ons vertellen?'

Schoolhoofd Sebagabo had ons zijn dochters als dragers toegewezen. Omdat wij de ochtend van ons vertrek nog enkele bezoekjes moesten afleggen, waren zij alvast vooruitgelopen, maar toen we aankwamen op de afgesproken plek waren ze nergens te bekennen. We ploften neer in het gras en wachtten.

Sebagabo en David, die zoals alle Banyamulenge uitgerust waren met arendsogen, hadden me Kagogo tijdens onze wandelingen al aangewezen. Als ik stilstond en intens keek, had ook ik de metalen glinstering van golfplatendaken tussen de groene heuvels kunnen bespeuren. Ver was het niet – hooguit drie uur lopen. Maar om er te komen moesten we door het bos en geruchten over Mayi Mayi die gedeserteerd waren maar hun wapens behouden hadden, deden de ronde.

'Waar blijven je dochters?' vroeg ik aan Sebagabo nadat we een tijdlang in het gras hadden gelegen, vruchteloos spiedend naar beweging in het roerloze landschap. Behalve door de drie meisjes zouden we vergezeld worden door een groep dragers die het rantsoen van de militairen naar Kagogo moesten brengen, maar ook die kwamen niet opdagen.

Sebagabo wreef zenuwachtig in zijn handen. 'C'est à dire, il y a ceci...' begon hij met zijn gebruikelijke wijdlopigheid. Misschien waren de dragers al vertrokken, opperde hij, en hadden zijn dochters zich met onze bagage bij hen gevoegd. 'Welja!' riep ik kwaad. 'En wij dan?' Dat soort fratsen lapten Thérèse en haar tegendraadse gevolg de arme Jorojoro in Minembwe voortdurend.

Het was al over enen toen we afscheid namen van Sebagabo en alleen op pad gingen. Het bos was koel en vochtig. Varens, wilde bessen, gele, witte en paarse bloemen, bomen met oneetbare vruchten – ik keek om me heen en probeerde niet te denken aan wat er zich buiten ons gezichtsveld afspeelde.

David praatte zichzelf moed in met het verhaal over twee Mayi Mayi die hij ooit was tegenkomen en die zijn bagage wilden afpakken. Hij had zo van zich afgebeten dat ze hem gevraagd hadden of hij soms een soldaat was. 'Jazeker,' had hij gezegd, 'vraag maar aan de militairen achter me.' Waarna de Mayi Mayi het op een lopen hadden gezet.

We ontmoetten nauwelijks mensen en bij een kruising aarzelde David: hij had geen idee welke kant we op moesten. In de verte kwam een man aangewandeld die even zijn pas inhield. Een blanke vrouw, drijfnat van het zweet, en een Munyamulenge die de weg kwijt was – weifelend liep hij in onze richting.

Maar hij wees ons de goede kant op en zodra we uit het bos kwamen, zagen we een groepje jongelui dat in het gras lag uit te rusten. Achter hen tekenden zich de vertrouwde contouren van onze bagage af. Een van de dragers at een maïskolf. 'Ha,' zei David, malicieus op hem afstuivend. Banyamulenge hoorden niet in het openbaar te eten, noch melk te drinken – dat was iets voor Bembe of Fulero. Zwaaiend met zijn paraplu gaf David de jongen een uitbrander.

'*Karibu*, umuzungu!' Welkom, blanke! riepen spelende kinderen ons vanuit een veld met wuivende maïshalmen toe. Verrukt renden ze op ons af en brachten ons in optocht naar de vroegere missie van Kagogo. Een keurig aangeveegd erf

▲ De vrouw pakte mijn Samsonite-koffer en snoerde die met een touw vast aan haar mand, het meisje propte mijn rugzakje in haar mand.
▼ David (rechts) en dragers op weg van Mikalati naar Bijombo

Na drieënhalf uur lopen zagen we Mikalati liggen. Uit het dal steeg een zacht gegons op, dat sterker werd naarmate we, laverend tussen de koeien, dichterbij kwamen.

▲ David op het voetbalveld in Mikalati
▼ David tussen Madigidigi (links) en zijn broer

▲ Zodra we binnen waren, stroomden mannen met hoeden toe die zich
op stoelen en bankjes om Mutumitsi heen zetten.

▼ (van links naar rechts) Predikant Jesus Cares, zijn collega de profeet,
Mutumitsi en Lieve Joris

Hoog op een heuvel tekende zich een omheining van bamboestokken af. Kinderen stonden naar ons te kijken; het werden er steeds meer.

▶ Mbiyo Mbiyo zou heel slim zijn, maar ook een beetje vreemd, al kon niemand me precies vertellen waarom.

Zoals overal in Afrika speelden de kinderen van Kagogo op maanverlichte nachten buiten. Ze droegen gescheurde T-shirts en overmaatse jacks. Hun levendige, slimme ogen gloeiden in het licht
van het houtvuur.

met een rechthoekig gebouw dat overschaduwd werd door eucalyptusbomen, een lieflijk witgekalkt kerkje op de heuvel erachter – dit was het kleine Europa dat Italiaanse paters hier in de jaren zeventig hadden opgericht.

Sommige van mijn kennissen uit het dal waren bij de paters op school geweest. Ze hadden me er zoveel over verteld dat ik deze omgeving kon dromen. De school lag aan de andere kant van de vallei. De middelbare scholieren moesten de trots van de hoogvlaktes worden.

De laatste Italiaanse pater was aan het einde van de jaren tachtig vertrokken en Kizeze, het schoolhoofd dat met zijn familie in het missiegebouw woonde, kwam ons begroeten: zijn collega in Bijombo had hem verwittigd van onze komst. De meeste Banyamulenge zijn tenger, op het magere af, maar Kizeze was gezet en er hing iets traags en onzekers om hem heen, alsof we hem gewekt hadden uit een diepe slaap en hij nog niet stevig op zijn benen stond.

Op de tafel in de vroegere woonkamer van de paters lag een laken; in het midden stond een boeketje veldbloemen in een plastic medicijnpot. Stapels vergeelde schooldossiers lagen in ijzeren stellingen tegen de muur en ook de rest van het huis was ten prooi aan verwaarlozing. De kamer die David toegewezen kreeg had geen deur. Het huis was in 1996, bij het begin van de oorlog tegen Mobutu, geplunderd, zei Kizeze. Sindsdien waren de deuren van verschillende kamers verdwenen en reisde een houten bord door het huis dat desgewenst dienstdeed als deur.

David had me verteld dat er in Kagogo vlooien zaten en op mijn kamer haalde ik mijn wapenarsenaal tevoorschijn: ik bespoot de muren, de matras en de aangestampte zandvloer met insecticide, en bedekte de matras met een plastic zeil.

Kagogo was de laatste plaats in de hoogvlaktes waar we een tijdje zouden blijven, en ik bracht mijn overgebleven proviand naar Kizeze's vrouw, die in een hut achter het huis zat te koken. Buiten woei een ijzige wind, maar Kizeze's kinderen droegen dunne shirtjes en liepen op blote voeten. 'Vatten ze geen kou?' vroeg ik. Kizeze lachte verstrooid. 'Nee, nee, ze zijn eraan gewend. We trekken hun soms schoenen aan, maar ze schoppen ze voortdurend uit.'

Ik had een fles Amarula voor Kizeze meegebracht, het lievelingsdrankje van mijn Banyamulenge-kennissen in het dal; de crèmeachtige substantie deed hen denken aan melk. 's Avonds zette Kizeze de fles op tafel en schonk de Amarula voorzichtig in glazen. Hij proefde het lichtbruine goedje aandachtig en vond het zo voedzaam dat hij daarna geen honger meer had en het avondeten opzijschoof.

David, die protestants was en geen alcohol dronk, trok een zuinig gezicht; hij voelde zich onwennig te midden van ons, katholieke zondaars. Het protestantisme in de hoogvlaktes is geïnspireerd door het puritanisme van de Noorse en Zweedse missionarissen in het dal en staat haaks op het savoir-vivre van de Italiaanse en Belgische katholieken.

David had het boek over Sankara uit Bijombo meegenomen. Hij was bijna aan het einde en Sankara bracht hem op allerlei ideeën. 'Als iedereen vijf dollar inlegt,' zei hij, starend in de vlam van de beroete olielamp, 'zouden we een stuwdam kunnen bouwen, dan zou er elektriciteit zijn en hadden we deze lampen niet meer nodig.' Sankara had hetzelfde gedaan met de wegen in zijn land.

Een buurjongetje dat het eten had opgediend, was naast David gaan zitten en staarde hem gefascineerd aan. David bewoog zijn lippen terwijl hij las. Met een zucht klapte hij

het boek na een tijdje dicht en begon Sankara's meest ge-
denkwaardige uitspraken over te pennen in zijn schrift.

We gingen vroeg naar bed. Het was koud, ik kroop diep
weg in mijn slaapzak. De Amarula gloeide nog na. Zodra ik
mijn ogen sloot, dook uit het niets de monumentale kleer-
kast op die vroeger in de slaapkamer van mijn ouders stond.
Ze had bolle deuren, met grote glazen deurknoppen. En daar
was het gezichtje van mijn moeder weer. Tijdens haar leven
was er altijd een zekere afstand tussen ons geweest, maar in
haar laatste dagen werd ze me als een kind zo vertrouwd.
Haar dood willen bespoedigen en het afscheid tegelijkertijd
eindeloos willen uitstellen. Tot mijn jongere zus haar hand
nam en zei: 'Ga maar, mama, de engeltjes wachten op je', en
haar ogen braken.

Er was geen ontkomen aan: ik moest die zondagochtend mee
naar de kerk. David was vroeg opgestaan en naar een protestantse mis in de vallei gegaan. Kizeze, die diaken was, trok
een wit gewaad aan en duwde me een bijbel in de hand. Samen beklommen we de heuvel naar het kerkje van de Italiaanse paters. Een priester was hier niet, Kizeze zou zelf de
dienst leiden. 'Jij moet ook iets doen,' zei hij.

'Wat dan?'

'Een getuigenis afleggen.'

'Van wat?'

'Van je geloof natuurlijk.' In Minembwe had curé Jorojoro
me een keer naar voren geroepen in de kerk en geïntrodu-
ceerd bij de gelovigen. Hij had verteld waarom ik was gekomen en mensen gevraagd me te helpen bij mijn werk. Maar
dit was anders. De katholieken waren in de hoogvlaktes in
de minderheid, terwijl de protestantse sektes floreerden.

Verwachtte Kizeze dat ik als blanke het stoffige blazoen van de Katholieke Kerk in Kagogo kwam oppoetsen?

Hij wees me een plaats aan in de zijbeuk, zodat iedereen me goed kon bekijken. De gelovigen zongen en dansten, maar verloren me geen moment uit het oog. Ik verborg me in de Bijbel, die me steeds meer begon te interesseren. Abraham, die nog vader werd toen hij al oud en grijs was; de landbouwer Kaïn, die zijn broer, de veehoeder Abel, doodde omdat hij jaloers op hem was – het waren verhalen die in deze pastorale omgeving nieuwe betekenis kregen.

Toen Kizeze me wenkte, trad ik naar voren. Hij vertaalde mijn verhaal over mijn heeroom, de missionaris, die mij als kind in een Vlaams dorpje ver van hier had doen dromen van het land dat mijn voorvaders gekoloniseerd hadden, over mijn reizen door Congo die mij uiteindelijk hadden doen belanden in dit gebied dat de Belgen nauwelijks in kaart hadden gebracht.

Ik keek naar de mensen die net nog zo geanimeerd hadden gedanst. Mijn woorden leken van hen af te glijden. Zelfs het leven in het dal konden ze nauwelijks bevatten, wat zouden ze zich dan interesseren voor de droom van een blanke meer dan zesduizend kilometer verderop?

Kizeze vertaalde plichtmatig. Hij wachtte op het moment waarop ik zou getuigen van mijn geloof, zodat de anderen konden invallen met *alleluja* en *geprezen zij de Heer* en we het eensgezind op een zingen en een dansen konden zetten. Maar dat bleef uit. Hij zou er niets over zeggen, maar ik voelde dat ik hem had teleurgesteld.

Na het middageten strekte de zondagmiddag zich in al zijn loomheid voor ons uit. Vanochtend hadden gelovigen zich over paadjes in de vallei naar de kerk gespoed en had her en der gezang geklonken, nu bespeurde ik geen enkele beweging meer. Ik dacht aan de zondagen van mijn jeugd, aan de chocomousse die we als dessert aten in achthoekige schaaltjes, waarna we het dorp in fietsten met één of twee franc op zak en stopten bij alle snoepwinkels om te turen naar de kartonnen borden met frisco's.

David was naast me komen staan. Nu hij zijn boek over Sankara had uitgelezen, had hij weer alle tijd van de wereld. 'Het is vandaag markt in Gahuna,' zei hij.

Mijn hart sprong op. 'Hoe ver is dat hiervandaan?'

Hij mat me met zijn blik. 'Voor jou een uur of twee.'

We haalden Kizeze uit zijn zondagmiddagsluimer en gingen op weg. Uvira lag op een flinke dag lopen, ik was ervan uitgegaan dat mensen hier meer gewend waren aan blanken, maar sinds het vertrek van de Italiaanse paters was er volgens Kizeze geen blanke meer in Kagogo geweest en algauw draafden kinderen die blijkbaar ook geen raad wisten met hun zondagmiddag achter ons aan.

We waren laat, marktgangers kwamen ons uit tegengestelde richting tegemoet. Eén man had een kip in zijn raffia rugzakje gestopt; ze stak haar hoofd boven zijn schouders uit en volgde nieuwsgierig de commotie op het pad. Vrouwen hielden hun hand voor de mond als ze me in het oog kregen en riepen: '*Mana-wéééh!*' Mijn God! Vier mannen droegen een zieke die op een laken tussen twee bamboestokken lag. Een voorbijganger ving mijn blik: '*Muzungu, vous voyez la souffrance des Africains?*'

Verder gingen we, tegen de stroom in. De markt was al

zichtbaar in de verte, ze werd omarmd door een aaneenschakeling van zachtgroene heuvels. David was een bekende tegengekomen, Kizeze en ik liepen voorop en praatten over de scholieren in Kagogo die niet meer wilden luisteren naar de ouderen. 'Jullie kunnen ons niets leren,' zeiden ze, 'want de woorden van oude mensen zijn oud.'

'Mana-wéééh!' De uitroepen van verbazing bij onze aankomst op de markt waren zo authentiek dat Kizeze en ik in de lach schoten en David, die een eindje achterop was geraakt, met een veelbetekenende blik op het spektakel naar me toe wandelde en me de hand schudde.

Die nacht was ik herhaaldelijk wakker geworden van het gehoest van Kizeze's kinderen, die met hun ouders in de kamer naast de mijne sliepen. Ik wilde een deken voor ze kopen, maar ik vond er geen. Als een dorpsnar werd ik gevolgd door een schare kinderen die me, aangespoord door hun ouders, verlegen een hand kwamen geven, waarna ze wegschoten en achter mijn rug in lachen uitbarstten.

Op de terugweg golfde mist tegen de heuvels op en kroop tussen de witgekalkte hutten van de dorpjes die we passeerden. De geur van houtvuur walmde ons tegemoet. De muren van de hutten hadden roze biesjes en de strooien daken stonden er als kapjes van een ngongoro bovenop. Er hing een witte nevel om de daken, waardoor het leek of de hutten lagen te stoven in de vallende avond.

De mist verzachtte de contouren, onttrok de omheinde maïsvelden aan het zicht. Ik voelde me licht en gelukkig, alsof ik thuis was gekomen in dit oude landschap. Te bedenken dat het oosten me tijdens mijn allereerste reis had afgeschrikt. Kil had ik de mensen gevonden – de bewoners van Beneden-Congo en de Evenaarsprovincie waren zoveel warmbloediger. Die tijd lag voorgoed achter me.

David was naast me komen lopen. 'Nu de markt van Hwe-hwe nog,' zei hij, 'dan hebben we het gehad.'

Hwehwe lag op de weg naar Uvira – we zouden erlangs ko-men als we naar beneden gingen. 'Jij hebt zeker met militai-ren gepraat,' zei ik, gealarmeerd. Telkens als David hen ont-moette, kreeg hij haast – alsof ik een gevoelig pakje was waar hij vanaf moest zien te raken.

'We vertrekken donderdag,' zei David resoluut. 'Dan is het markt in Hwehwe en kunnen we het laatste stuk naar Uvira met de commerçanten afleggen.' De militairen had-den hem zelfs aangeboden twee gewapende mannen mee te sturen.

'Maar we zijn hier pas!' Ik had lang moeten wachten op de toestemming van de kolonel om de hoogvlaktes te bezoe-ken, waarom zou ik zo vlug weg willen?

David pikte driftig met de scherpe punt van zijn paraplu in de aarde. 'Wil je dat de kolonel me in de gevangenis gooit?'

'Waarom zou hij dat doen?'

'Ik heb hem beloofd zo vlug mogelijk terug te zijn. Boven-dien...' – hij aarzelde even – 'mijn vrouw kan niet zo lang al-leen blijven.'

David vertraagde zijn pas en voegde zich opnieuw bij de soldaten, die de rij sloten. Zouden ze me kunnen dwingen donderdag te vertrekken? Het leek me niks om op militair bevel de berg af te moeten.

Kizeze luisterde aandachtig toen ik hem mijn probleem voorlegde. 'Zei David dat hij zijn vrouw niet zo lang kon ach-terlaten?' Ik knikte. 'Dat betekent misschien dat zij zonder geld zit. Je zou hem iets voor haar kunnen geven.'

'Maar dan moet hij helemaal terug naar huis!'

Kizeze lachte. 'Natuurlijk niet. Daar vindt hij wel iets op.'

Ik had er weinig vertrouwen in, maar sprak er David bij onze thuiskomst over aan en Kizeze bleek gelijk te hebben: het was een kwestie van geld. 'Vijftig dollar,' zei ik, 'is dat genoeg?' David knikte verheugd en begon meteen uit te dokteren hoe het geld in Minembwe te krijgen. Als hij de volgende ochtend vertrok zou hij kunnen overnachten bij een familielid en de daaropvolgende dag naar de markt gaan waar hij iemand kon ontmoeten die het geld zou meenemen naar zijn vrouw.

'Over een dag of vier ben ik terug,' zei hij. Het vooruitzicht er alleen opuit te trekken leek hem te bevallen. Misschien kon hij onderweg zelfs nog een handeltje sluiten, bedacht ik. Hij had me verteld dat hij soms honderd dollar leende aan een Shi-commerçant. Zolang die het geld niet kon terugbetalen, moest hij David elke maand twintig dollar geven. Dat soort woekerrentes waren normaal in deze regio zonder banken.

Over het gevaar dat de kolonel hem in de gevangenis zou gooien, repte hij niet meer.

Iedereen wist nu dat ik er was en 's avonds, toen we bij het houtvuur zaten in de hut voor Kizeze's huis, stapte een grote man binnen met laarzen en een wollen muts op het hoofd: de *chef de groupement*. Hij groette ons, zette zijn muts af, trok zijn laarzen uit en schoof naast Kizeze op de rieten mat. Algauw diende een tweede man zich aan, kleiner dan de eerste, met een vriendelijk gezicht, onderzoekende ogen en ruwe werkhanden: de *chef des avenues*. Ook hij trok zijn schoenen uit en ging zitten.

Buiten hing de maan als een lichtende ballon tussen de

hutten. Over enkele dagen zou ze vol zijn en ik dacht aan curé Jorojoro, die verguld was geweest omdat ze ons zou vergezellen op onze reis. In Bijombo had ik een brief van Jorojoro ontvangen in een mooi, zwierig handschrift. Hij wenste me goede moed en zei dat iedereen in Minembwe in gedachten bij me was.

Zoals overal in Afrika speelden de kinderen van Kagogo op maanverlichte nachten buiten. Ze verdrongen zich lachend voor de grote raamopening van de hut en snoven luidruchtig vanwege de opstijgende rook van het houtvuur. Ze droegen gescheurde T-shirts en overmaatse jacks. Hun levendige, slimme ogen gloeiden in het licht van het vuur.

Onze bezoekers praatten over de marktdag in Gahuna en observeerden me ondertussen vanuit hun ooghoeken. Plotseling vroeg de chef de groupement of ik een *feuille de route* had. Feuille de route – ik kende de term uit de Mobutu-tijd. Het was een papier dat militairen op verplaatsing of verlof bij zich moesten hebben. Ik stond op het punt te antwoorden: 'Ben ik soms een militair?', maar David was me voor. '*Ik* ben haar feuille de route,' zei hij. Zijn brutaliteit had aangename kantjes – ze kon ons op weg naar Uvira nog aardig van pas komen.

Die nacht werd ik opnieuw wakker van het hartverscheurende gehoest van Kizeze's kroost. De kinderen in Kagogo liepen allemaal op blote voeten. Was dat de manier waarop hun ouders hen hardden? Een Munyamulenge-kennis in de stad had mijn hand een keer in de zijne genomen en ze aandachtig bestudeerd. Hij had mijn vel tussen twee vingers gepakt, waarna hij een misprijzend geluid had gemaakt. 'Blanken! Jullie zijn zwak.'

Ik voelde gekriebel en pakte de koplamp op de stoel naast

mijn bed. Mijn lakenzak was vol bloedvlekjes en hier en daar bespeurde ik een minuscuul bruin beestje. Vlooien – ze zaten overal. Het had een nacht geduurd, maar ze hadden hun weg gevonden.

David was al vroeg vertrokken. Slaperig zat ik in een paan en T-shirt bij Kizeze's vrouw in de kookhut achter het huis en warmde mijn verkleumde handen en voeten. Het hout walmde, de rook deed mijn ogen tranen en ik snotterde er al even lustig op los als iedereen. Buiten woei een gemene wind. We zaten op 2590 meter hoogte – de paters hadden het cijfer op de buitenmuur laten schilderen.

Een jongetje kwam binnen en reikte me een luchtpostenvelop aan. *Excellence* stond erop. Op een blad dat hij uit zijn schoolschrift had getrokken, richtte Joseph, een leerling uit de vierde klas van de middelbare school, zich tot me met een verzoek. 'Ik ben een vrijgezel van zeventien,' schreef hij, 'geboren in een familie die leeft in *extraordinaire* armoede. Ik ben blij te constateren dat u op uw gemak bent in deze omgeving, ondanks de heersende conjunctuur.' Hij excuseerde zich voor zijn Frans, dat te wijten was aan het slechte onderwijs in Kagogo. Terwijl hij zo graag studeerde! 'Kunt u me niet meenemen naar uw land om verder te leren?'

Op dit punt in de brief veranderden het handschrift en de kleur van de pen; ze hadden er met meerderen aan gesleuteld. 'Als dat niet mogelijk is,' schreef de opsteller, 'kunt u me dan misschien helpen mijn studie ter plaatse te bekostigen? God zal u belonen. Als u ja zegt, zal ik naar u toe komen en een kip voor u slachten om u te feliciteren.'

Het was een aandoenlijke brief, tussen de fouten door gelardeerd met uitdrukkingen als *votre haute responsabilité* en *mes sentiments les plus distingués*. De vraag was zo buitenissig dat ze geen antwoord leek te behoeven, net zomin als de noodkreet van de drager die me bij het begin van onze reis had gesmeekt hem mee te nemen naar Amerika.

Ik liep naar mijn kamer en stopte de brief in mijn koffer. Kizeze vertrok naar school en liet me achter met Pacifique, een jongen uit de buurt die Frans sprak. We sleepten mijn matras en slaapzak naar buiten, ik onderwierp de vloer en de muren van mijn kamer aan een grondig onderzoek en spoot mijn bus insecticide leeg.

De volgende dagen zou Pacifique koffie voor me zetten en maïspap voor me maken. Hij had de middelbare school in Kagogo doorlopen, maar was niet geslaagd voor het staatsexamen, de nationale test die iedere leerling ter afsluiting in Uvira moest afleggen. Sindsdien hing hij maar wat rond, want geld voor een herkansing had hij niet. Zijn vader was gestorven, zijn moeder verkocht maïsbier om in haar onderhoud te voorzien.

Pacifique was een jaar of negentien, maar hij was al getrouwd. Hij was dienstbaar en leergierig. Ik betrapte mezelf er soms op dat ik hem belerend toesprak, net zoals mijn voorouders moeten hebben gedaan wanneer ze voor het eerst in een streek kwamen waar mensen niet gewend waren aan blanken. 'Pacifique,' zei ik dan, onwillekeurig over mezelf pratend in de derde persoon, 'je moet een blanke 's ochtends geen koud eten serveren.' Of: 'Een blanke is niet gewend elke dag hetzelfde te eten.'

De ochtend waarop Pacifique mijn was – witte en donkere door elkaar – in kokend water gooide, viel ik tegen hem uit en schaamde me daar later over. Zwijgend keek hij toe hoe ik de donkere was met een bamboestok uit het gloeiende water viste en op het gras gooide. We legden de kleren op de flank van de heuvel te drogen, oppassend voor koeienvlaaien; mijn ondergoed verstopte ik onder lakens en handdoeken.

Kizeze trok een zorgelijk gezicht. De avond tevoren had de vollemaan dik en geel in de lucht gehangen, maar om halfelf waren mensen uit een naburig dorpje hem komen roepen. 'De maan had een probleem,' zei hij.

'O?'

'Ze was niet langer geel, maar oranje – het zag er helemaal niet goed uit.'

'Oranje, zei je? Was dat niet de maansverduistering waarover radio RFI het gisteren had?'

'Denk je?' Kizeze keek me weifelend aan. Zelf luisterde hij zelden naar de radio.

We liepen door de beboste vallei naar de school waar ik de hoogste klassen zou toespreken; Kizeze had er twee uur voor uitgetrokken. Ik had er een hard hoofd in: wat te vertellen tegen leerlingen die zich zo ver van het centrum van de wereld bevonden? Wat konden zij mogelijkerwijze weten als zelfs hun schoolhoofd zo weinig wist?

Kizeze had op een pedagogische academie in het noorden van het land gezeten, maar het leek wel alsof hij alles wat hij daar had geleerd, was vergeten. Astronomie, daar hadden ze hier blijkbaar nooit van gehoord; de maan was een opzichzelfstaand hemellichaam met haar eigen ondoorgrondelijke wetten. *De maan had een probleem!* Als dichter was Kizeze wellicht beter geslaagd.

De school lag op een plateau en was omgeven door oude, kromme bomen: twee lange gebouwen met roestige golfplatendaken aan weerszijden van een weide waarop ik de leerlingen vanaf de overkant voetbal had zien spelen. Sinds de Mayi Mayi de school hadden geplunderd, waren er geen ramen meer.

Een zestigtal opgeschoten scholieren stroomde de lokalen uit. Ik kreeg een bankje in het midden van het grasveld toegewezen, zij gingen in een halve cirkel om me heen zitten, de meisjes aan de ene kant, de jongens aan de andere. Misschien bevond er zich onder hen wel een toekomstige schrijver, probeerde ik me voor te stellen. Tot hem of haar zou ik me richten.

Ik vertelde over de benauwenis van het dorp dat ik op mijn achttiende ontvlucht was, over de bescheiden ambities die mijn ouders voor hun dochter hadden, over de jaren van dolen voor ik mijn weg naar het schrijverschap had gevonden. Terwijl ik praatte, werd ik overvallen door hetzelfde gevoel van vervreemding dat me bekroop toen ik eens een groep leerlingen in een *township* in Zuid-Afrika toesprak: ze keken naar me, ze staarden me aan, maar mijn woorden bereikten hen niet.

Een leraar die naast me op het bankje zat, probeerde de leerlingen aan te moedigen vragen te stellen. Het bleef heel lang stil. Tot iemand zijn vinger opstak en vroeg: 'Wat is uw beroep?' Een ander wilde weten of ik daar geld mee verdiende, een derde of ik naar de hoogvlaktes was gekomen om af te studeren en zo ja, wat mijn onderwerp was. Was ik getrouwd? Hoeveel kinderen had ik? De leugens over mijn zoon en dochter kwamen inmiddels heel makkelijk over mijn lippen; ze waren tijdens deze reis een wezenlijk onderdeel van me geworden. Ik had met ze te doen – wat ik ook beweerde, ze hadden het niet getroffen met een moeder die almaar van huis was.

Daarna was het weer lange tijd stil, tot er achteraan een vinger omhoogging en de gebruikelijke vraagsteller zich aandiende, die geen vraag had, maar een betoog wilde houden. Een eenzame jongen, zou Kizeze me later zeggen, die zich altijd een beetje afzijdig hield van de anderen. Zodra hij begon te praten, kwam er beweging in de groep leerlingen. Ze lachten, stootten elkaar aan, hielden verschrikt hun hand voor hun mond.

'Niemand durft u vragen te stellen,' zei de jongen, 'want wij schamen ons met een blanke te praten. Hoe komt u hier, wat heeft u hier gebracht? Ook ik schaam me het u te vragen.' Het gelach van zijn medeleerlingen zwol aan, de leraar gebaarde dat de spreker zijn mond moest houden, maar hij bleef stug doorpraten, al verdronken zijn woorden in het opstijgende gelach en kon ik hem niet langer horen.

Toen Kizeze besloot dat het tijd was de bijeenkomst te beëindigen, stonden de leerlingen op en vormden een lawaaierig kluwen dat de vraagsteller onherroepelijk aan mijn zicht onttrok.

Om halfnegen ging Kizeze doorgaans naar bed, waarna het stil werd op het erf. Alleen uit de hut achter het huis, waar de drie leraren van de middelbare school rond het vuur zaten, klonk onderdrukt gepraat en gelach. Ik had de afgelopen dagen wel eens een gesprekje met hen gevoerd. Prosper, de spraakzaamste van de drie, was al jaren in Kagogo en had daarvoor op verschillende plaatsen in de hoogvlaktes gewoond. Hij was een Shi, net als de anderen, maar sprak vloeiend Kinyamulenge en had geen spoor van de onderdanigheid van zijn collega's, die elke zin begonnen met: 'Permettez, madame...'

De leraren kwamen uit de stad en voelden zich ver verheven boven de mensen van de hoogvlaktes. Zij hadden voor mijn komst het erf aangeveegd, het witte laken op de tafel in de woonkamer gelegd en het ruikertje bloemen geplukt, vertelden ze me – daar zou Kizeze nooit op gekomen zijn.

Ik sloop naar buiten, bleef staan bij het gele gordijn voor de deuropening van hun hut en riep: '*Hodi?*' Hallo? 'Karibu!' klonk het. Daar zaten ze, dicht bij elkaar, in de behaaglijke warmte van het houtvuur. De geur van lokale tabak hing in de lucht; ze rolden hun sigaretten zelf. Ik schoof naast hen op de rieten mat. 'Dat was een harde dobber vanmiddag,' zei ik.

Prosper, die erbij was geweest en pogingen in het werk had gesteld om wat leven in de leerlingen te blazen, knikte mismoedig. 'Ze weten niets en ze willen niets weten,' zuchtte hij. Als hij hen daar wel eens op aansprak, zeiden ze: 'Brengt kennis ons soms dichter bij het paradijs?'

Sommigen hadden nog nooit een fiets gezien en het principe van elektriciteit moesten de leraren hun uitleggen aan de hand van een zaklamp. Religie, dat was het enige waar ze warm voor liepen. In een van de protestantse kerkjes werd gebeden voor een synthesizer en sinds gisteravond had iedereen het over de ziekelijke kleur van de maan. Een slecht voorteken, had de voorbidder tijdens een wake gezegd: er stond vast iets te gebeuren.

'De beste scholieren vertrekken vroeg of laat naar het dal om hun middelbare school af te maken,' zei Prosper. 'Wij blijven achter met de rest.' Als een leerling niet geslaagd was, kwam zijn vader op school om de directeur en de leraren te bedreigen. 'Met het gevolg dat veel leerlingen overgaan, waarna ze natuurlijk zakken voor het staatsexamen in het dal.' Wat hun ouders dan weer toeschreven aan het feit dat de Banyamulenge in dit land niet geliefd waren.

De leraren werden – zoals overal in Congo – betaald door de ouders. 'Brengt een vader in plaats van twintig dollar laatst een geitje mee naar school!' Prosper staarde boos in de vlammen; zijn collega's gniffelden. 'Een mager ding – hooguit tien dollar waard. Ik zei dat hij het zelf maar moest verkopen op de markt en mij de twintig dollar brengen. Waarop hij kwaad wegliep en beweerde dat ik zijn schoolgeld niet wilde aannemen.'

Aanvankelijk logeerde Prosper bij een lokale familie. 'Vis eten ze niet, dat zijn voor hen slangen, en nadat ik eens kikkerbilletjes voor mezelf had klaargemaakt, weigerde de gastvrouw tien dagen lang mijn bord aan te raken.' Zij aten bonen zonder olie, want van olie zou je wormen krijgen. 'De grootmoeder woonde een tijdlang in Rwanda; ze kwam terug omdat er daar volgens haar niets te eten was. Op den duur at ze alleen nog bananen, want ook de melk was er niet te drinken.' Prosper lachte. 'Moet je hún melk proeven, die smaakt zurig omdat ze hun ngongoro met koeienurine uitspoelen. Dan ruikt de koe tijdens het melken haar eigen geur en geeft ze meer melk, beweren ze.'

Ik zei maar niet dat de Banyamulenge over hen ook zo hun bedenkingen hadden: het waren vast niet de beste leraren die het dal verlieten om in de hoogvlaktes te werken – hadden ze wel de juiste diploma's? Een oudere man vertelde me eens dat een leraar niet op school was verschenen omdat hij zijn geitje kwijt was; de hele ochtend had hij ernaar gezocht en hij kwam pas opdagen toen hij het had teruggevonden.

Nu en dan ging het gordijn van de hut opzij en glipten een paar kinderen naar binnen. Ze zaten hand in hand bij het houtvuur, warmden hun voetjes, haalden ongegeneerd hun snottebellen op en gaven lachend en fluisterend commentaar op wat ze zagen. 'Moeten ze onderhand niet eens naar bed?' vroeg ik. Prosper lachte. 'Die? Ze gaan overal langs waar nog vuur brandt en spelen tot ze erbij neervallen.'

Hij wees naar hun vuile voetjes. 'Toen ik hier pas was, vroeg ik aan de vrouw van mijn gastgezin: Stoppen jullie de kinderen zó in bed, zonder ze te wassen? Weet je wat ze antwoordde? "De Banyamulenge die in de hoofdstad wonen zijn als kinderen allemaal met vuile voetjes naar bed gegaan – dat heeft hen niet belet vandaag hoge functies te bekleden!"'

Mbiyo Mbiyo, Snel Snel – zijn naam zoemde in mijn hoofd. Sinds Minembwe hadden mensen me over hem verteld. De oude man zou in de buurt van Kagogo wonen en heel slim zijn, maar ook een beetje vreemd, al kon niemand me precies vertellen waarom. Volgens Kizeze had Mbiyo Mbiyo zijn naam te danken aan de snelheid waarmee hij ter wereld was gekomen, anderen zeiden dat hij zo genoemd was naar een blanke in het dal die altijd haast had.

Mbiyo Mbiyo bleek een paar heuvels verderop te wonen. Kizeze bood aan me te vergezellen. Het liefst wilde ik in het dorpje van de oude man overnachten, maar dat voorstel wees Kizeze af: we konden makkelijk in één dag op en neer.

Het was heel anders op pad te zijn met Kizeze dan met David. Telkens als we iemand tegenkwamen, stopte Kizeze en beantwoordde plichtsgetrouw de vragen die hem werden gesteld. Waar kwamen we vandaan, waar gingen we naartoe? Waarom wilden we Mbiyo Mbiyo bezoeken? Terwijl ze praatten, namen de nieuwsgierigen me tersluiks op. Een vrouw zei dat ze moe was van het maïs stampen – kon ik de volgende keer een molen meebrengen? Een man vertelde dat zijn koe bloed piste – had ik geen medicijnen meegebracht?

We staken een riviertje over en maakten een flinke klim door een koel bos met varens en korstmos dat als rafelig kantwerk in de bomen hing. Het had de afgelopen dagen geregend en de aarde was nat en glibberig. Kizeze wilde het pad naar het eerstvolgende dorpje inslaan, maar mensen wezen naar het struikgewas in de verte: daarachter woonde Mbiyo Mbiyo.

Struikgewas, uitgedund bos – het leek me sterk dat we in deze omgeving nog iemand zouden aantreffen, maar plotseling dook achter het bosschage een grote, witgekalkte hut op. Ze lag midden in een open plek in het bos; links van het pad dat ernaartoe leidde was een afdak gebouwd waaronder bundels hout lagen.

Kizeze had een leerling vooruitgestuurd om ons bezoek aan te kondigen. In de smalle deuropening verscheen een man met een vilten hoed; onder zijn vale regenjas droeg hij een azuurblauw bestikt hemd. Welgevormde lippen en een sterke neus had hij, maar vooral zijn ogen trokken mijn aandacht: ze leken dwars door me heen te kijken. Achter hem doken drie kinderen op die zich vastklampten aan zijn jas.

Binnen brandde een houtvuur. In een hoek van de kamer stond een aarden kom met maïs te weken. Kizeze en ik kregen stoelen aangeboden, Mbiyo Mbiyo zelf ging op een kruk zitten, zijn benen opgetrokken. Terwijl hij in het Kinyamulenge vragen stelde aan Kizeze lieten zijn ogen me geen moment los. Had ik een vergunning om gesprekken te voeren met mensen? Wat zou ik doen met de dingen die hij me zou zeggen? Kizeze stelde hem gerust, vertelde hem over David, de neef van de kolonel, die me op mijn reis vergezelde.

Een vrouw bracht een rieten schaal waarop een grote ther-
moskan met thee en een tweede met melk stond. Ze was
jong en had een gebloemde doek om haar hoofd gewonden,
zoals bij getrouwde vrouwen gebruikelijk is. Ze kwam uit
Rwanda, had ik gehoord. Mbiyo Mbiyo keek haar aan met die
intense blik van hem en zei: 'Zij is mijn engel.'

Zeven kinderen had zij hem geschonken. In totaal had hij
er drieëntwintig, bij vier vrouwen. Zelf was hij de tweede
zoon die zijn vader had gehad met zijn tweede vrouw. Zijn
oudste broer stierf onverwacht terwijl hij koeien hoedde. Bij
de missionarissen in het dal had hij Swahili leren lezen en
schrijven. Hoe oud hij was, wist hij niet precies. Hij dacht
dat hij geboren was in 1910, maar zijn geboortebewijs was in
een ver verleden tijdens de transhumance in het water gevallen en later had hij een nieuw bewijs gekregen waarop 1920
stond.

Twee mannen waren binnengekomen, die met de rug tegen de muur meeluisterden. Ze hadden machetes bij zich –
zeker werklui. Kizeze vertaalde gedwee. Mbiyo Mbiyo was
een hele tijd aan het woord geweest, zijn priemende ogen in
de mijne, maar nu zei hij dat hij mij ook iets wilde vragen.

Ik was gewend aan de vreemde zaken die oude mannen in
de hoogvlaktes van me wilden weten, maar Mbiyo Mbiyo's
vragen sloegen alles. Hoe kwam het dat er blanken en zwar-
ten waren? Waren er Belgen die een wild dier konden doden
met een lans? Welke stammen leefden er in België? Hadden
wij ook Hutu en Tutsi? En in Azië, welke stammen woonden
er daar? Hoeveel landen waren er op de wereld? Zat Oceanië
oorspronkelijk vast aan de Sovjet-Unie?

Mbiyo Mbiyo las de antwoorden van mijn lippen, alsof hij
Kizeze's vertaling niet helemaal vertrouwde. Hij had de la-

gere school niet afgemaakt; liep hij sindsdien met die vragen rond? Een kinderencyclopedie, die zou in deze omgeving goed van pas komen. Maar zijn vragen hadden ook, net als die van de oude mannen op de heuvel in Bijombo, een ironische toon – alsof hij me in de maling nam.

Twee van zijn kinderen kwamen uit school, een schrift in een plastic zakje onder de arm, en verdwenen in een zijkamer. Toen wandelde een man van een jaar of vijftig binnen die zich voorstelde als Mbiyo Mbiyo's zoon Thomas. 'Hóé heet je?' vroeg zijn vader. Thomas herhaalde zijn naam, waarop de oude man een spuuggebaar maakte en zei: 'Heb ik jou die naam gegeven, soms? Ik noemde je Urusaku – Lawaai – omdat er bij je geboorte zoveel leven om je heen was. Wat is er met die naam gebeurd?'

De zoon was predikant in het dorp en begon mij op zijn beurt te ondervragen, maar Mbiyo Mbiyo sneed hem de pas af: 'Hou je mond, is ze soms voor jou gekomen?' Met zijn eeltige hand pakte hij een kooltje uit het vuur en stak een pijpje op.

Ik maakte van de kans gebruik om te vragen of een vader wel voor zoveel kinderen kon zorgen. Thomas schudde van nee, maar Mbiyo Mbiyo verzekerde me dat het geen probleem was, zolang je ze maar opvoedde volgens de mores van de Banyamulenge. Hij wilde aanvankelijk niet dat zijn kinderen studeerden, hij sloeg ze, maar zij ontvluchtten hem en gaandeweg begreep hij dat ze gelijk hadden. Een van zijn zonen zat inmiddels in de hoofdstad, een andere was met een studiebeurs naar België vertrokken.

'Waarom woont u hier alleen?' vroeg ik. Zijn vrouw was bij ons komen zitten. 'Omdat hij niet tegen herrie en familieruzies kan,' zei zij. 'Zijn gedachten zijn anders dan die van anderen,' viel zijn zoon haar bij. Mbiyo Mbiyo keek hem aan, wees naar zijn hoofd en zei: 'Waarom zeg je niet dat ik ziek ben?'

Plotseling maakte hij een gebaar met zijn hand, als om aan al dat gepraat een einde te maken. Hij wilde mij nog een vraag stellen: Was ik katholiek? Ik vertelde hem wat ik Kizeze de afgelopen dagen had proberen duidelijk te maken: dat ik weliswaar was opgegroeid in een katholieke omgeving, maar – zoals veel Europeanen – niet langer praktiserend was.

Mbiyo Mbiyo knikte begrijpend. Zelf was hij neokatholiek.

'Wat betekent dat precies?'

'Ik geloof in God,' zei hij, 'en dat ons lichaam zich bij onze dood scheidt van onze geest.'

Hij keek me nog steeds aan en voor ik er erg in had, begon ik hem over de dood van mijn moeder te vertellen. 'Ze doofde langzaam uit,' zei ik, 'er was aan het einde nog zo weinig van haar over – ik kon me niet voorstellen dat ze daarna nog ergens naartoe zou gaan.'

'Jawel,' zei hij troostend, 'ik geloof dat haar geest na haar dood weer intact werd en terugkeerde naar degene die hem in haar lichaam bracht.'

Het was prettig en vertrouwd hier te zitten, gadegeslagen door de oude Mbiyo Mbiyo met zijn felle ogen, maar naast me begon Kizeze ongedurig te worden: regen tokkelde op het strooien dak, het was tijd om de terugtocht aan te vatten. Mbiyo Mbiyo stond op en begeleidde me tot de deur, zijn vrouw drukte me twee eieren in de handen.

Thomas wandelde een eindje met ons mee. Nu we alleen waren, kon hij eindelijk de vragen stellen die op zijn lippen brandden: Was ik getrouwd? Hoeveel kinderen had ik? Wat vond mijn man ervan dat ik zo vaak weg was? We namen afscheid bij het pad naar het dorp en stapten verder in de regen.

Kizeze liep alweer te tobben. 'Ik ben bang,' zei hij, 'dat we Mbiyo Mbiyo gek hebben gemaakt met ons bezoek.'

'Jij zou wat vaker in de Bijbel moeten lezen,' zei Kizeze op een middag aan tafel. Mijn halfslachtige toespraakje in de kerk, mijn uitlatingen tegen Mbiyo Mbiyo – ik was nu ruim een week in Kagogo en kon mijn goddeloosheid moeilijk verbergen.

'Waarom?'

'Om een christelijker visie op de wereld te krijgen.'

'Ik heb als kind mijn portie wel gehad,' zei ik terwijl ik een stukje kip uit de pan viste. Pacifique had haar achter het huis de nek omgedraaid. Kip, aardappelen, rode bonen – veel variatie op het menu was er hier niet.

'Maar de Bijbel is het boek der boeken – dat moet je telkens weer lezen!' Kizeze keek me verwijtend aan. 'Jouw heeroom heeft het christendom naar Congo gebracht, hoe kan het dat jij twee generaties later niet meer gelooft?'

Jij zou er goed aan doen eens iets anders te lezen dan de Bijbel, dacht ik opstandig, daar zouden je scholieren vast baat bij hebben. Maar ik zei niets. Sinds ik in de hoogvlaktes was zat ik zelf soms in de Bijbel te bladeren om beter te begrijpen wat ik om me heen zag en hoorde.

Kizeze liet niet los. 'Op een dag zullen wij Afrikanen naar Europa gaan om jullie opnieuw te evangeliseren,' zei hij.

'O ja? En waar denken jullie dan van te leven?'

Beduusd van mijn eigen uitval zat ik later die middag aan tafel te schrijven. Kizeze was vertrokken naar de rouwceremonie van een tante die overleden was aan kanker. Haar man was oud en behoeftig; zijn kinderen zouden volgens Kizeze meteen op zoek gaan naar een jonge vervangster, een of andere kijinge die niet aan de man kon geraken. Ze zouden met de broers van de toekomstige bruid een deal sluiten over de bruidsprijs. De broers zouden hun zus om de tuin leiden door net te doen alsof ze een jonge bruidegom voor haar hadden gevonden. Eenmaal getrouwd zou zij kinderen maken met passanten en net doen alsof haar oude man de vader was. Kizeze had het me op neutrale toon verteld. Zo ging dat hier nu eenmaal.

De deur van de zitkamer was open en zoals wel vaker hadden de kinderen van de lagere school op weg naar huis een ommetje gemaakt om naar me te kijken. Opeengepakt bij de deur becommentarieerden ze mijn bewegingen. Ze namen mijn licht af. Ik stond op en liep naar hen toe, waarop ze verschrikt achteruitdeinsden. 'Waar kijken jullie naar?' vroeg ik. 'Naar uw blanke huid en haren,' zei de oudste van het stel. Hij wees naar zijn eigen haren – die waren vuil. 'En naar uw kleren en schoenen,' zeiden de anderen. Die van hen waren versleten en kapot. Leraar Prosper stoof het erf op, verwoed in zijn handen klappend. Als opgeschrikte vogels vlogen ze uiteen, kirrend en proestend, hun voetjes roffelend in het zand.

Toen was ik weer alleen.

David bleef langer weg dan voorzien. Ik had me erop verheugd een tijdje zonder hem in Kagogo te zijn, maar nu stuitte ik op mijn grenzen. Soms zat ik 's avonds in de hut voor het huis in het vuur te staren terwijl Kizeze en zijn bezoekers in het Kinyamulenge praatten. Kizeze's vrouw bracht de meeste tijd door in de kookhut en was bijzonder zwijgzaam. Onmogelijk een gesprek met haar aan te knopen – ze kende geen woord Frans. Ik was graag wat langer bij Mbiyo Mbiyo gebleven, maar wat kon ik zonder vertaler bij hem doen? De chef des avenues was niet verschenen op onze afspraak; de chef de groupement, die alle markten in de omgeving afstruinde, zou fruit voor me meebrengen, maar ook hem had ik niet gezien.

Waarom was Kizeze na zijn studie eigenlijk teruggekeerd naar Kagogo? Ik kwam er niet achter. Was hij altijd zo lethargisch geweest? Alles wat ik aanraakte in zijn huis zat onder het stof. Hoe kon hij als schoolhoofd een voorbeeld zijn, wat had hij op de pedagogische academie in het noorden eigenlijk geleerd? Dat fruit vitamines bevatte en honing goed was voor zijn hoestende kinderen, wist hij niet.

Wat ga je daar doen? Er valt bij ons niets te beleven. Mensen lopen weggedoken in hun kraag door de heuvels en kruipen om vier uur al in bed van verveling. De waarschuwingen van mijn vrienden in het dal echoden in mijn oor. Je kon hier maar beter in beweging blijven, want zodra je halt hield, viel de tijd stil. Niemand had mij nodig, integendeel, ik stoorde: ik droeg geen paan, hield mijn wandelstok in mijn linkerhand, gaf geen getuigenis van mijn geloof, kwam geen molen of medicijnen brengen noch projecten opzetten of beurzen uitdelen – ja, wat deed ik hier eigenlijk?

De landerigheid had me zo in haar greep dat het leek of ik al maanden in Kagogo was. Zo was het toen ik op mijn eenentwintigste opnieuw aanspoelde in mijn geboortedorp Neerpelt, na twee jaar in de Verenigde Staten te hebben gewoond. Gedesoriënteerd dwaalde ik door het ouderlijk huis. Mijn grootmoeder, die me altijd beschermd had tegen het grote woelige nest waaruit ik kwam, was in mijn afwezigheid overleden. Voor het eerst stonden mijn moeder en ik tegenover elkaar.

Zij begreep mij niet. Poetsen en stofzuigen moest ik, bedden opmaken, boodschappen doen, koken. En werd het niet tijd om te trouwen? Ik kocht een typemachine, haalde een stapel boeken uit de bibliotheek, sloot me op in mijn kamer en luisterde naar het getsjoektsjoek van de lage vrachtboten die op het kanaal passeerden. Mijn moeder bonkte op de deur, schreeuwde tegen me, zette de verwarming af. 's Nachts droomde ik dat ik met een schop mijn eigen graf stond te graven.

Twee weken voor haar dood kwam ik overhaast terug uit Congo. Onze geschillen uit het verleden waren allang bijgelegd, maar de wederzijdse reserve was gebleven. Mijn naam zou ze niet meer noemen. Ik was haar dochter die altijd weg was geweest. Mijn grootmoeder was tussen ons in blijven staan.

Tijdens die laatste dagen zag ik haar voor het eerst zoals ze was geweest: eenvoudig, met een scherp oog voor wat zwak en weerloos was. Toen haar wereld kleiner begon te worden en zelfs de boer in zijn verzakkende huisje een kilometer verderop buiten haar bereik kwam te liggen, meende ze op het pleintje voor haar slaapkamerraam een man te zien die avond aan avond tegen de lantaarnpaal leunde. Haar hart ging naar hem uit. Hij was eenzaam, zei ze; hij had honger.

Die bezorgdheid om anderen had ze op me overgedragen. Ik voelde me zo dicht bij haar en was haar zo dankbaar. Als ik de binnenkant van haar mond bevochtigde met een citroenstaafje, dacht ik aan de vrouwen die de stervende Christus laafden door een spons in azijn te drenken. Hoe kon Kizeze beweren dat ik niet was gevormd door Bijbelse beelden?

Bij zijn terugkeer zag David er kwiek uit. 'Mission accomplie,' zei hij. De beweging zat nog in zijn benen en we gingen samen naar de chef de groupement om ons nakende vertrek aan te kondigen. De chef was voor zijn hut in gesprek met een vrouw; ze klemde haar handen ineen terwijl ze praatte en bewoog haar bovenlichaam heen en weer in een poging de huilende baby op haar rug te wiegen.

Ze was een Rwandese Hutu die met haar man op weg was geweest naar Mikalati om er te werken voor een Banyamulenge-familie. De broer van haar man woonde daar al met zijn gezin – hij had alles voor hen geregeld. In het bos van Kagogo naar Bijombo werden ze aangehouden door Mayi Mayi. Zodra die hun accent hoorden, ontstaken ze in woede: 'De Rwandezen hebben onze dorpsgenoten gedood,' riepen ze tegen haar man, 'daar zul jij voor betalen, waar is je geld?'

Haar man sputterde tegen – hij zou zijn geld hard nodig hebben om zijn leven in Mikalati te beginnen – waarop ze hem dwongen mee te komen naar hun kamp. 'Maar er was helemaal geen kamp,' zei de vrouw vertwijfeld. Haar man werd bang en sloeg op de vlucht. Ze schoten op hem, één keer en nog eens, waarna ze het zelf op een lopen zetten. Vanachter een boom had de vrouw toegekeken. Toen het stil werd in het bos had ze haar schuilplaats verlaten en zich over haar man heen gebogen; ze dacht dat hij niet meer leefde.

David vertaalde fluisterend. Ik verbaasde me over de rust die de vrouw uitstraalde – alsof ze nog niet goed besefte wat er gebeurd was. Haar schamele bezittingen lagen, in een paan geknoopt, aan haar voeten. Soms jammerde ze zachtjes en nu en dan klopte ze sussend op de rug van haar baby.

De chef ging zijn hut binnen. Toen hij terugkwam droeg hij een regenjas en rubberlaarzen, en had hij zijn gebreide muts op het hoofd gezet. De vrouw pakte haar bundeltje en ze vertrokken samen in de richting van het bos.

Na de apathie van de afgelopen dagen voelde ik het bloed weer door mijn lichaam suizen. Dat bos, daar hadden David en ik tien dagen eerder met z'n tweeën doorheen gelopen. Ook David was aangedaan. Ik mocht aan niemand vertellen wanneer we zouden vertrekken, en als we onderweg iemand tegenkwamen, moest ik vooral niet verklappen dat we naar Uvira gingen. 'Misschien neem ik een wapen mee,' zei hij.

Het verhaal van de vrouw zette me aan het denken. Er waren dus Hutu-gezinnen die helemaal uit Rwanda kwamen om voor Banyamulenge te werken? 'Dat gebeurt wel eens,' zei David weinig toeschietelijk. Maar volgens Kizeze was er iets anders aan de hand. Veel *Interahamwe* – Hutu-milities – die in 1994, na de genocide in Rwanda, de grens met Congo over waren gevlucht, hielden zich nog steeds op in de bossen en wildparken van het oosten. Ze droomden ervan het nieuwe regime in Rwanda ten val te brengen, maar het leven in het bos was hard en door de jaren heen waren hun idealen gaan roesten. Steeds meer mannen verlieten het bos en probeerden als burger een nieuw bestaan op te bouwen.

'Ze doen zich voor als Congolezen, maar hun accent verraadt hen,' zei Kizeze. 'De Mayi Mayi zijn boos op hen, want Rwanda valt keer op keer het oosten van Congo binnen om de Interahamwe te verjagen.'

Die avond ging David naar een bidwake om de zegen over onze reis af te roepen. Ik kreeg op de valreep een brief van Jorojoro: hij wachtte in Minembwe op een vliegtuigje dat hem naar Uvira zou brengen; met enig geluk zou hij daar vóór ons arriveren.

Ons vertrek verliep zoals gewoonlijk zeer rommelig. Ik gaf mijn hulpje Pacifique dertig dollar, waarop die naar huis spurtte en zich klaarmaakte om met ons mee te gaan: met dat geld kon hij zich opnieuw inschrijven voor het staatsexamen in Uvira. De chef des avenues en zijn zoon hadden aangeboden onze bagage te dragen. Zij waren Nyindu. Het leek me verstandig met een gezelschap van Banyamulenge en Nyindu naar Uvira te reizen, een extra bescherming tegen kwaadwillende Mayi Mayi. Maar David en Kizeze wilden er niet van horen.

Pacifique bracht zijn jonge vrouw en een vriendin mee als dragers. Die redden het niet, dacht ik toen ik hun frêle verschijning op de gele plastic schoentjes zag. Bij ons vertrek scheen de zon uitbundig, maar onderweg stak een ijzige wind op, de hemel trok dicht en het begon te regenen. Tegen de tijd dat we Hwehwe naderden, wilden de draagsters naar huis.

De markt van Hwehwe bood een troosteloze aanblik. Onder de lage grijze lucht banjerden honderden marktgangers door de modder. David probeerde nieuwe dragers te vinden, Pacifique ging op zoek naar fruit, ik bleef met de bagage achter op de helling. 'Wat is er?' snibde ik tegen een jongeman die me onbeschaamd aanstaarde. '*Je t'aime*,' zei hij.

Het begon steeds harder te regenen, de kou kroop uit de vallei omhoog en mijn schoenen zakten weg in de sponzige aarde. Het blauwe regenjack met de puntmuts dat ik op de markt van Ilumba had gekocht, stonk naar petroleum. Ik nam het plastic zeil uit mijn rugzak en wond dat als een cape om mezelf en de bagage heen. Zo stond ik daar, als een zuil van zout in een Bijbelse regenbui, te kijk voor heel Hwehwe. Om me heen werd luidruchtig gesnoven en een zakdoek gebruiken, ho maar.

'*Abari, padri!*' Hoe gaat het, pater! Een voorbijganger knikte me bemoedigend toe. Ik schoot in de lach. Welja, zo zag ik er dus uit, als een Italiaanse pater. Daar was Pacifique met het fruit. Echte bananen had hij gekocht, niet de kleine smakeloze vruchten die in de hoogvlaktes voor bananen doorgingen. En daar was David, met twee dragers.

Na Hwehwe klaarde de lucht op en algauw kreeg ik het benauwd in mijn regenjack. We stapten een nat bos in. Voor en achter ons liepen marktgangers, en Mayi Mayi met hun cassetterecorders. Zij verzekerden de veiligheid tussen Hwehwe en Uvira, maar David was er niet gerust op. We moesten oppassen voor dieven, zei hij, en voor mensen die hun pas vertraagden om onze conversatie af te luisteren. De dragers vertelden dat ze de dag tevoren in de buurt van Hwehwe overvallen waren door Mayi Mayi die hen meenamen naar het bos, waar ze gedwongen werden hun geld en jassen af te geven.

We staken riviertjes over, nu eens springend over glibberige stenen, dan weer balancerend op dunne boomstammen. Een groep kleurrijk geklede vrouwen en kinderen schoot kwetterend langs ons heen – Fulero, te oordelen naar de manier waarop ze hun manden droegen. Ze holden voor ons uit, klein en lenig, net dansende elfjes.

Toen we eenmaal buiten het bos waren begon de avond te vallen en kwam een dichte mist op. Op de tast vonden we het dorpje Mitamba, waar we zouden overnachten. Er was een hut voor passanten met een gastheer die zichzelf Jezus noemde. We maakten een vuurtje en droogden onze bagage. Ik kreeg een emmer warm water om me te wassen, Pacifique – onze S4 – ging op zoek naar pannen om te koken.

We zaten met de andere gasten te praten en maïskolven te roosteren toen er werd aangeklopt. Ik bevond me het dichtst bij de deur en rubberlaarzen duwden ongeduldig in mijn rug. '*Passage!*' beval een stem hoog boven me. Soldaten van de kolonel, ze zetten hun wapens naast mijn wandelstok en Davids paraplu bij de ingang van de hut en installeerden zich in de kamertjes waar ik dacht dat wij zouden slapen.

Later voegden ze zich bij ons. Ze praatten Kinyamulenge, maar het was niet moeilijk te achterhalen waarover ze het hadden, want de woorden Mayi Mayi, Interahamwe en umuzungu doken telkens opnieuw op. Pacifique gaf me een grote beker melk, haalde met twee afgekloven maïskolven als pannenlapjes de foufou en het vlees van het vuur en schoof me een bord toe.

Twee van de andere gasten waren vrouwen op weg naar Rwanda. Ik stelde voor dat wij samen op de grond voor het vuur zouden slapen, maar zij weigerden: zij vonden zichzelf te vies. Dus ritste ik mijn slaapzak open en legden David en ik ons voor de laatste keer broederlijk naast elkaar op een dunne matras te ruste.

Koeien lagen rond de hut te slapen – ik hoorde hun zware, geruststellende ademhaling. Ik probeerde niet te denken aan het smeulende vuur aan onze voeten, noch aan het gebrek aan zuurstof in de hut. Soms opende een van de soldaten de deur, waarbij een koude mistvlaag naar binnen woei. Midden in de nacht hoorde ik geritsel ter hoogte van onze bagage. Ik stootte David aan. 'Er zitten hier muizen!' Hij stond braaf op en inspecteerde onze tassen met een zaklamp.

De kalasjnikovs aan mijn hoofdeinde, de militairen in de zijkamertjes, de Mayi Mayi en Interahamwe in de bossen om ons heen – op elk ander moment zou het me beangstigd hebben, maar die nacht in Mitamba voelde ik me op een wonderlijke wijze beschermd.

Om halfvijf sloop ik naar buiten om mijn tanden te poetsen; daar zou straks, als iedereen wakker was, geen tijd meer voor zijn. Het was stikdonker en de mist kleefde aan mijn kleren. De koeien lagen nog steeds vredig te slapen. We zouden heel vroeg vertrekken en in konvooi reizen, want die ochtend wachtte ons een laatste hachelijke tocht door het bos. Vier maanden lang was er niets gebeurd, hadden de militairen gisteravond verteld, maar sinds kort waren de aanvallen van rovers weer begonnen.

Met z'n zevenen gingen we op weg: David, Pacifique, de twee dragers, de twee vrouwen en ik. We hadden niet ontbeten en de dragers klaagden over '*famine*', hongersnood, maar David was onverbiddelijk: eerst het bos, dan het eten. Een hoestende oude man in een regenjas zonder knopen voegde zich bij ons; hij was ziek en was op weg naar Rwanda om zich te laten behandelen. David sprak hem aan met het respectvolle '*mzee*', wijze man, en telkens als hij en zijn jonge begeleider achterop dreigden te raken, sommeerde David ons langzamer te lopen. Ik vermoedde dat hij de oude man beschouwde als een talisman, een beschermengel die mogelijke overvallers tot inkeer zou kunnen brengen.

De tocht door het bos was moeilijk. De aarde was hard als steen en soms struikelden we over omhooggewoelde boomwortels die zich als kabels over het pad slingerden. De dragers stapten, ondanks hun honger, dapper voor ons uit en zongen een liedje over hun wandelstok die keer op keer de strijd aanbond met de heuvels. We liepen snel, maar als David achter ons stemmen hoorde, vertraagde hij zijn pas en spitste zijn oren om te controleren of het goed volk was.

Toen we uit het bos kwamen, haalde iedereen opgelucht adem. 'Het gevaar is voorbij,' zei Pacifique. De zon stond vuurrood aan de hemel en ik meende het Tanganyikameer te bespeuren. Al mijn Banyamulenge-kennissen in het dal hadden me verteld over de eerste keer dat ze die grote vlek in de diepte hadden ontwaard. Bij mooi weer meenden sommigen dat de blauwe hemel naar beneden was gevallen, bij somber weer dat de savanne zwartgeblakerd was. Voor het eerst waren ze zich bewust van een wereld buiten de hunne. Die was anders – bevreemdend. Ik had uitgezien naar dit moment, maar nu het zover was, had ik nauwelijks tijd om te kijken, want vóór ons was een stelletje ongeregeld opgedoken dat met wapens om de schouders tegen een boom leunde.

Daar had je ze: de Mayi Mayi. Onze dragers waren gestopt en ik hield instinctief mijn pas in om te wachten op David. Een jaar of vijfentwintig waren ze en ze hadden al enige lessen intimidatieleer achter de rug, want twee van hen bleven nonchalant tegen de boom staan terwijl de derde naar me toe liep en schreeuwde: 'Feuille de route!' Davids antwoord: '*Ik* ben haar feuille de route,' dat het in Kagogo zo goed had gedaan, werd op hoongelach onthaald.

'Het is verboden voor een blanke om zich zonder feuille de route te verplaatsen!' De Mayi Mayi wees naar de top van de heuvel, waar zijn kapitein zich zou bevinden. Niet van het pad af gaan, dacht ik, maar David begon al te klimmen. 'Jij ook, MONUC!' riep de Mayi Mayi, mij aansprekend met de naam van de VN-vredesmissie in het dal.

'Zeg maar dat ik van de kolonel in Minembwe niet van mijn route mag afwijken,' zei ik tegen Pacifique. 'Ze weigert!' brulde de Mayi Mayi naar de onzichtbare kapitein. De dragers stonden bangelijk toe te kijken, onze andere reisgezellen waren nergens meer te bekennen. Daar kwam de kapitein de heuvel af gewandeld, een recorder met blèrende muziek in de armen, David in zijn kielzog.

'*Gimme your money!*' siste mijn belager nog, maar de kapitein sprak geruststellende woorden en van het ene op het andere moment was de klucht afgelopen. David stak hem een aangebroken pakje sigaretten toe, waarna we verder mochten. Een van de Mayi Mayi zou met ons meegaan naar Kirungu, maar zelfs dat gebeurde niet. Mijn belager lachte en riep me na: '*Tu es fâchée?*' Ben je boos?

In het bos was het koud geweest, maar nu voelde ik de warmte uit het dal opstijgen. We liepen over een smalle bergpas, aan weerszijden begroeid met hoog helmgras. Dit moest de tweede gevaarlijke plek zijn waarover Jorojoro me had verteld. Soms vielen koeien hier naar beneden, had hij gezegd – onmogelijk ze weer naar boven te krijgen. Ook menige marktganger die dronken terugkeerde van de markt in Kirungu, had op deze plaats het leven gelaten.

Riviertjes klaterden in de diepte en in de beboste heuvels waren her en der lieflijke Fulero-dorpjes uitgekerfd. De begroeiing werd gevarieerder en in Kirungu stuitten we op bananenbomen met bladeren van wel drie meter hoog.

We streken neer op het erf van een Fulero-familie om te ontbijten. Pacifique maakte koffie en serveerde fruit in een kom met water. Ik zat op een krukje en keek om me heen. De vrouw des huizes had een hoofd vol antennes en lachte me toe. Het leem van haar hut brokkelde af, haar kind trommelde met een stok op het deksel van een kasserol en in het zand lagen handgemaakte rammelaars. We waren weer in het vrolijke, wanordelijke Congo.

Onze ontmoeting met de Mayi Mayi had David van zijn stuk gebracht. De macht van de kolonel begon te verbleken en hij was meteen naar diens lokale vertegenwoordiger getogen om raad te vragen. Hij kwam terug met een schriftelijke *autorisation de passage* en was vergezeld van een onberispelijk geklede militair van de kolonel die Frans sprak en me welkom heette in Kirungu. De man zeeg naast me neer op een krukje en liet twee flessen Primus-bier aanrukken. Het was pas tien uur, maar ik dronk met gretige teugen.

Verlangend keek de militair naar beneden, waar het Tanganyikameer duidelijk zichtbaar was. Hij verveelde zich in Kirungu, bekende hij. Hij was nog jong, zijn vrouw en kinderen woonden in Rwanda – veel liever zou hij een functie bekleden in de stad.

'Welke functie bijvoorbeeld?' vroeg ik.

'Binnenkort wordt de nieuwe gouverneur van Bukavu benoemd,' zei hij dromerig, 'misschien zou ik vicegouverneur kunnen worden?'

We waren klaar met eten en David gebaarde discreet naar me: tijd om te vertrekken – we hadden nog een flinke tocht voor de boeg.

Het was druk op de weg van Kirungu naar Uvira. Mannen met planken op het hoofd renden voor ons uit en moesten uitwijken voor tegenliggers die met golfplaten naar boven kwamen. Iedereen was gehaast. Het pad was steil en kizeltjes gleden soms onder ons vandaan zodat we onverhoeds een eindje naar beneden roetsjten. Hoe konden mensen jarenlang zo'n erbarmelijk pad bewandelen en er niets aan doen om het te verbeteren?

Nu en dan kwamen we versperringen van Mayi Mayi tegen. 'Muzungu!' schreeuwden ze, en dat ik niet zomaar zou ontkomen. Maar als David onze vergunning liet zien en sigaretten uitdeelde, kalmeerden ze.

Congolezen op reis zijn doorgaans opgewekt en onvermoeibaar, maar de klimmers die her en der langs de kant van de weg zaten met hun bagage, hadden nauwelijks iets menselijks meer. De geur van zweet hing zwaar in de lucht en mengde zich met hun gezucht, gejammer en geweeklaag.

'Curé Jorojoro wacht op jullie,' fluisterde een catechist die ik eerder in Kagogo had ontmoet me in het voorbijgaan toe. Voor ik hem had kunnen bedanken, was hij al verdwenen. Ik zette mijn mobiele telefoon aan en zag het signaal aarzelend omhoogkruipen: we hadden bereik. In een opwelling belde ik de *procuur* in Uvira, wekte een confrater van Jorojoro uit zijn siësta en zei dat we begonnen waren aan de afdaling.

Voetgeroffel achter ons. 'Muzungu!' Twee verontwaardigde Mayi Mayi. De oudste gaf de dragers een zet. 'Hoe durven jullie langs onze versperring te lopen zonder te stoppen! En waarom luisteren jullie niet als we jullie roepen?' Ik maakte een beschermend gebaar naar de dragers, waarop de Mayi Mayi zich tot mij richtte. 'En jij, hoe durf jij je walkietalkie te gebruiken!'

De tweede Mayi Mayi was een ventje van nauwelijks vijftien met rooddoorlopen ogen en een gemene uitdrukking op het gezicht. Rekruten – daar moest je voor oppassen, dat waren de ergsten. Het joch hield zijn roestige kalasjnikov onhandig voor zich uit.

'Teruglopen,' zei de oudste. 'Onze commandant wacht op jullie.' David haalde onze vergunning tevoorschijn en mompelde iets over de kolonel. De jongste duwde het papier geïrriteerd weg. 'De kolonel,' smaalde hij, 'tegen wie vecht die nog? Wij zijn Mayi Mayi, wij zullen jullie vandaag laten zien dat de oorlog in Congo nog niet voorbij is!'

Ze jaagden nieuwsgierigen weg. De dragers moesten blijven staan, wij moesten rechtsomkeert maken. David wilde gehoor geven aan hun bevel, maar ik trok hem aan zijn mouw. 'Wij gaan niet uit elkaar,' zei ik tegen de Mayi Mayi, 'en ook niet terug – dat heeft de kolonel ons ten strengste verboden. Als jullie een probleem met ons hebben, kom dan maar mee naar de volgende post.'

Passanten liepen inmiddels met een boog om ons heen – met ons konden ze zich maar beter niet inlaten. Uit de tegengestelde richting kwam een man in civiele kleren aangewandeld die blijkbaar een meerdere van de twee Mayi Mayi was, want ze sprongen in de houding en noemden hem 'chef'. De man nam de situatie in één oogopslag op. 'Laat die mensen met rust,' zei hij. Hij stuurde de twee terug en liep een eindje met ons mee, zich verontschuldigend voor het gedrag van de 'kleintjes'.

Mijn hart klopte in mijn keel. Ik was brutaal geweest, waardoor we tijd hadden gewonnen, maar voor hetzelfde geld had ik een kogel gekregen uit het geweer van dat grimmige kereltje.

Pacifique droeg een tasje om de lendenen. We hadden afgesproken dat hij de soldaten onderweg zo nodig zou betalen en nu zag ik dat hij de chef een biljet van honderd Congolese franc – twintig dollarcent – toestopte.

Voort liepen we, tot we bij een brede, snelstromende rivier kwamen. Aan de overkant stonden commerçanten onder een boom te wachten bij een versperring. Op de onderste takken van de boom zaten militairen. David en Pacifique tuurden verontrust die kant op. 'Het regeringsleger,' fluisterden ze.

Sommige vrouwen lieten zich op de rug van een man naar de andere kant dragen, maar ik trok mijn schoenen uit en rolde de pijpen van mijn broek op. Een groepje Fulero-vrouwen stond achter het bosschage naar me te kijken en moedigde me, roepend en klappend in de handen, aan. Met z'n vijven waadden we door de rivier. De militairen hadden ons al in de gaten. Een blanke – die zou betalen. Pacifique kreeg een schop tegen zijn hoofd van een soldaat die met bungelende benen in de boom hing. 'Jullie daar, honderd Congolese franc per persoon!' De handelaars gaven twintig franc, zag ik.

'Waarom zouden we jullie geld geven,' protesteerde ik, strijdbaar ineens na onze confrontaties met de Mayi Mayi, 'wat doen jullie voor ons? Niets!' Ze keken me verongelijkt aan. 'Zijn jullie militairen van het regeringsleger?' 'Jazeker!' 'Zeg dan maar tegen jullie chef dat hij jullie salaris moet uitkeren!' Zo schreeuwden we nog een tijdje heen en weer, waarna ze ons schouderophalend lieten passeren.

De Fulero-vrouwen hadden ons vanaf de overkant gadegeslagen en klapten opnieuw in de handen. Hoe stil was het de afgelopen dagen om me heen geweest, realiseerde ik me – wat had ik de spontane vrolijkheid die je overal elders in het Congolese binnenland tegenkwam, gemist.

Gesterkt liepen we verder. We waren al in de buitenwijken van Uvira en de ene versperring volgde de andere nu op. Touwen waren over de weg gespannen en de commerçanten werden opgejaagd, in verwarring gebracht. Een week lang hadden ze door de hoogvlaktes getrokken, de militairen wisten dat ze geld hadden. De handelaars riepen, smeekten, verdedigden zich alsof hun leven ervan afhing.

'Tweehonderd franc!' De dikke vrouwelijke militair met de rode pruik bij de volgende barrière was onverbiddelijk.

'Maar de anderen moeten maar twintig franc...'

'Heb je me niet gehoord?' sneerde ze zonder me aan te kijken. 'Tweehonderd franc, en vlug wat!' Als een goudhandelaar zat ze achter haar tafeltje met biljetten. Iedereen schreeuwde door elkaar heen. Mijn probleem was met geld alleen niet op te lossen, betwistten haar collega's: ik moest mee naar het bureau van de veiligheidsdienst. 'Eerst betalen!' krijste ze.

De telefoon in mijn broekzak rinkelde. Het was curé Jorojoro, die met een chauffeur naar de ingang van Uvira was gereden. Zijn stem was als een lichtje in de duisternis. 'We wachten op je,' zei hij, 'zeg maar dat ze je hiernaartoe brengen.' Geëscorteerd door een militair liepen we hem door de zanderige straatjes tegemoet.

De eerste huizen doken op en mensen staarden ons aan met open mond. Een mooi stel waren we: David met zijn malle hoedje en zijn paraplu, Pacifique met zijn tasje om de lendenen, de twee dragers met hun in plastic gewikkelde bagage op het hoofd en ik, een vuile blanke met een wandelstok en een zonnehoed waaronder het zweet naar beneden gutste.

Daar was de auto van de procuur. Jorojoro stapte uit, lachend, blij. We omhelsden elkaar en terwijl de chauffeur onze bagage in de auto laadde, betaalde ik de dragers en gaf

Pacifique het geld terug dat hij onderweg had gespendeerd. Mensen waren ons gevolgd en algauw ontstond er een opstootje. Een blanke die geld uitdeelde! 'En ik, en ik!' riepen ze. Ik rook goedkope sterkedrank en keek in de opengesperde mond van een man: regelmatige tanden, een rode huig. Hij wees op zijn buik. '*Maman, ndjala!*' Ik heb honger!

Met grote moeite slaagden David en ik erin ons aan het gewoel te ontworstelen en de auto in te glippen, die muurvast in de massa zat. Binnen was het benauwd. Mensen bonkten op het dak en toen ik het raampje opendraaide, staken ze hun handen naar binnen. Ik sloeg van me af en kreeg op mijn beurt een paar klappen.

Jorojoro had al die tijd onderhandeld met de militair die met ons mee was gelopen en stapte nu ook in. 'Wegwezen,' zei hij tegen de chauffeur, maar intussen was een Munyamulenge-man opgedoken die wijdbeens voor de auto ging staan: 'Ho, ho, wat is dit? Waar gaan we naartoe? Feuille de route!' Niet alleen mijn papieren, ook die van David wilde hij zien.

Jorojoro stapte opnieuw uit. De man was dronken, leek me – hij zwaaide op zijn benen, maar zijn vastberadenheid was er niet minder om. Plotseling keerde de menigte zich tegen hem. Wat dacht hij wel? Hij, niet eens een echte Congolees, wilde de papieren van brave burgers controleren? Dat zouden ze wel eens zien! In de commotie die ontstond, slaagden we erin weg te rijden. Ik keek naar mezelf in de achteruitkijkspiegel: een vreemd, verhit gezicht met natte haren staarde me aan.

Het avondbuffet stond in schalen op een lange tafel in de refter. Aardappelen, rijst, foufou, kip, rundvlees, maniokblade-

ren, bonen, ananas, bananen, papaja's – ik keek mijn ogen
uit. Honger had ik, en dorst. Ik dronk en bleef maar drinken.
Als een kameel voelde ik me – die kunnen weken overleven
zonder water, waarna ze hun maag vullen als een reservoir.

Jorojoro zat tegenover me aan tafel en lachte me toe. 'Als je
missie niet geslaagd was, zou het ons aller nederlaag zijn geweest,' zei hij, 'nu ze wel geslaagd is, is het ons aller overwin-
ning.'

Een van zijn collega's keek me wantrouwend aan. Was ik
bij de Banyamulenge in de hoogvlaktes geweest? Lastige
mensen vond hij het. 'Ze zijn eigenzinnig,' zei hij, 'ze passen
zich niet aan.'

'Ze slapen met hun moeder,' viel een ander hem bij, 'dat
hebben ze je zeker niet verteld.'

'Banyamulenge, is dat een Congolees volk? Waarom hebben de Belgen ze dan niet op de kaart gezet? Laat je niets
wijsmaken, het zijn gewoon Rwandese Tutsi,' riep een derde.

Ik had het allemaal al eens eerder gehoord en zag Jorojoro
vermoeid zuchten. Het hele jaar door moest hij in Minembwe zijn mannetje staan tussen de weerbarstige Banyamulenge, waarna hij door zijn confraters onderuit werd gehaald omdat hij te veel begrip voor hen zou hebben.

Op mijn kamer haalde ik mijn kleren uit mijn koffer en
gooide ze op een hoop. Ze roken naar houtvuur. Mijn wandelstok, de gele plastic schoentjes, de oude ngongoro – ze
waren als een stilleven uit een wereld die met duizelingwek-
kende snelheid van me wegsuisde.

In een hoek van de kamer stond een eenpersoonsbedje met
een muskietennet. David was bij onze aankomst achter me
aan gelopen en had ietwat onthand om zich heen gekeken.

'Waar slaap ik?' 'Maar David, we zijn in de stad!' Het had even geduurd voor hij begreep dat zijn taak erop zat. 'Morgen gaan we samen naar een internetcafé,' had ik hem ten afscheid gesust.

Maar nu hij weg was, miste ik hem. *Je moet meer saus nemen!* Zijn rauwe, ietwat brutale stem zat in mijn oor. Vijf weken lang was ik onophoudelijk omringd geweest door mensen; ik voelde me alleen in deze grote kamer met het hoge plafond.

In bed hoorde ik het regelmatige getik van mijn wandelstok op de kiezelsteentjes, het pijnlijke gezucht van de vrouwen met hun zware lasten; ik zag de knoestige bomen met hun wortels die als slangen over de weg kronkelden, keek in het jonge gezicht van de Mayi Mayi met het roestige geweer.

Die nacht droomde ik dat ik achterstevoren in een bootje zat dat door de stroomversnelling van een woeste rivier naar beneden zoefde. Plotseling kwamen we in kalmer water terecht en voeren in een nauwe tunnel onder het Kempisch kanaal van mijn jeugd door. Ik bukte me, omklemde de randen van het bootje met beide handen, maar was niet bang.

Mijn geld was op en een kennis op de procuur leende me honderd dollar. Even bleef ik met het biljet in de hand staan. Honderd dollar – dat was een halve koe! David wachtte op me bij de poort met de neef bij wie hij had gelogeerd. Samen liepen we naar het internetcafé.

Links van de hoofdweg rezen de raadselachtige blauwe bergen van Uvira op. Was ik daarachter vandaan gekomen? De Mayi Mayi hadden ons gisteren zo opgejaagd dat het leek of we naar beneden waren getuimeld. De oude Mbiyo Mbiyo hoog daar boven in zijn witgekalkte hut in het bos, hij was al zo ver van me verwijderd.

David praatte honderduit. Een Munyamulenge-militair had een meisje geschaakt met de bedoeling haar te huwen, maar haar familie was woedend geworden en naar de politie gestapt – alle Banyamulenge in Uvira hadden het erover.

In het internetcafé tikte ik op Google de naam van de kolonel in. De meldingen rolden binnen. David en zijn neef zaten samen op één stoel naast me en begonnen, hun lippen bewegend, te lezen.

'Wat is dit?' David drukte zijn neus tegen het scherm. Hij was op een bericht gestuit over een Munyamulenge-commandant die ervan beschuldigd werd een coup tegen de kolonel te hebben willen plegen; sindsdien zat hij gevangen in Minembwe en zou er in de hoogvlaktes een sfeer van angst heersen. 'Wie heeft dit geschreven?' Davids stem klonk gealarmeerd. Dat soort informatie was geheim! Hij pakte zijn schrift, dat inmiddels een keur aan notities bevatte, van religieuze liedjes en liefdespoëzie over koeien tot wijsheden van de revolutionair Sankara. Dit kon er nog wel bij. 'Héritiers de la Justice,' zei hij streng, 'is dat de naam van de schrijver?'

'Nee, joh, dat is een niet-gouvernementele organisatie die bericht over onrechtmatigheden in deze regio.'

'Op internet? Kan dat zomaar?' Ontstemd noteerde hij de naam. 'Mensen hebben geen flauw benul,' foeterde hij.

Zijn neef zweeg. Ik voelde me een beetje schuldig. Ik wist dat er mogelijk bezwarende informatie over de kolonel op internet stond. Had ik David hier expres mee naartoe genomen? Om hem uit de droom te helpen?

De jongens waren van het ene op het andere moment niet

meer geïnteresseerd en keken verstrooid naar het scherm van hun buurman, waarop een foto van een monsterlijk opgezwollen boa te zien was die net een medewerker van de VN-vredesmissie MONUC zou hebben verzwolgen – een broodje-aapverhaal dat al enige tijd de ronde deed.

De deuren van het internetcafé stonden open. Op de smalle asfaltweg vochten vrachtwagens, auto's en brommers toeterend om voorrang en duwden de voetgangers naar het zandpad. 'Zullen we gaan?' stelde ik voor.

Buiten kwamen we Pacifique tegen. Hij nam mijn beide handen in de zijne. 'Jij hebt mijn leven gered,' zei hij. Met dertig dollar!

Vanochtend was ik verkwikt opgestaan, maar nu begon ik de stramheid in mijn lijf te voelen. De aarde bewoog onder mijn voeten, alsof ik thuis was gekomen van een lange bootreis. Amper twee uur geleden had ik ontbeten, maar ik had alweer honger. Bij een kraampje langs de weg kocht ik drie bananen. David en zijn neef weigerden te eten, waarop ik ze zelf achter elkaar opat.

Ik miste de melk van de hoogvlaktes. De verse, romige melk van de eerste dag; de gestremde melk, die op vloeibare yoghurt leek; de melk met brokken die je met een bamboestokje tot een dikke pap roerde. De koeien waren zo dichtbij, maar op de ontbijttafel in de procuur had ik alleen melkpoeder aangetroffen. Ik wees naar een winkeltje aan de overkant van de straat. 'Zullen we melk gaan drinken?'

'Daar niet,' zei de neef beslist, 'die doen er suiker bij.' Hij kende een Munyamulenge-vrouw die melk aan huis verkocht – dat was een beter adres.

Ik was moe. Het verkeer schetterde in mijn oren, elke stap door het rulle zand deed pijn. Knikkende knieën, kramp in mijn nek – ik kreeg vast malaria.

David had zijn parmantige hoedje in het huis van zijn oom achtergelaten; hij zag er kwetsbaar uit met zijn kale hoofd. Hij en zijn neef waren een hele tijd stil geweest, maar nu begonnen ze weer te praten. Ze liepen voor me over het zandpad, fluisterend, hand in hand – alsof ze beschutting zochten bij elkaar.

Woordenlijst

Banyamulenge	(meervoudsvorm) volk van Mulenge
chef de groupement	hoofd van meerdere dorpen
chef des avenues	hoofd van een entiteit kleiner dan een dorp
curé	pastoor
fonie	radioverbinding
foufou	deeggerecht van maïs of maniok
kanyonya	bloedzuiger
karibu	welkom
kijinge	oude vrijster
Kinyamulenge	taal van de Banyamulenge, nauw verwant aan Kinyarwanda en Kirundi, de officiële talen van Rwanda en Burundi
Mayi Mayi	letterlijk: Water Water. Door mythes omgeven volksmilities (of lid van zo'n militie) die zich in het oosten van Congo opwerpen als verdedigers van de grond van hun voorouders; kogels zouden langs hen afglijden als water

MONUC	Mission de l'Organisation des Nations Unies en République Démocratique du Congo; VN-vredesmacht
Munyamulenge	(enkelvoudsvorm) inwoner van Mulenge
muzungu	(Swahili) blanke
mwami	koning, traditionele chef
ngongoro	houten melkfles met een hoedvormig gevlochten kapje als deksel
paan	bedrukte lap stof of kledingstuk gemaakt van die stof
procuur	(van het Franse *procurer*, verschaffen) administratieve post van een religieuze gemeenschap
transhumance	seizoenstrek
umuzungu	(Kinyamulenge) blanke

Lieve Joris (Neerpelt, België) is internationaal bekend als schrijfster van boeken over de Arabische wereld, Oost-Europa en Afrika. Haar werk werd onder andere bekroond met de Henriëtte Roland Holst-prijs, de Cultuurprijs van de Vlaamse gemeenschap en de Franse Prix de l'Astrolabe. België's vroegere kolonie Congo is een terugkerend thema in haar oeuvre. In *Terug naar Congo*, *Dans van de luipaard* en *Het uur van de rebellen* pleegt zij 'literaire vivisectie op de geschiedenis', zoals Maarten Asscher het in *Ons Erfdeel* het noemt. Tijdens haar onderzoek voor *De hoogvlaktes* stuitte zij op foto's van de Italiaanse pater Angelo Costalonga, die in de jaren zestig en tachtig met een confrater door de regio reisde en momenteel in het klooster van de xaverianen in Parma verblijft. Zij zocht hem op en kreeg inzage in zijn archief. De kleurenfoto's op het omslag van dit boek zijn van zijn hand.